José María Pérez Álvarez

La soledad de las vocales

BRUGUERA

Barcelona · Bogotá · Buenos Aires · Caracas · Madrid · México D.F. · Montevideo · Quito · Santiago de Chile

1.ª edición: abril 2008

para el sello Bruguera
Bailén, 84 - 08009 Barcelona (España)
www.edicionesb.com

Printed in Spain
ISBN: 978-84-02420-47-3
Depósito legal: B. 12.364-2008

Impreso por ROMANYÀ VALLS, S.A.

José María Pérez Álvarez

La soledad de las vocales

III Premio de Novela Bruguera
otorgado, en febrero de 2008, por la escritora Esther Tusquets
en calidad de jurado único.

A Elena, a Beatriz

tu nacimiento fue un error repáralo

Señas de identidad
JUAN GOYTISOLO

Toda la vida seguía llegando a deshora.

Puente Sobreira
JULIO LÓPEZ CID

cuando desperté estaba sentada en el alféizar acariciando un gato la mujer que se suicidó en esta habitación un día de 1980, el geranio de la ventana tiene sólo una hoja verde, el gato es gris y bisojo, le di un sorbo a la botella de whisky, miré a la mujer que me pidió un cigarrillo, alargó la mano para cogerlo y vi el corte profundo en su antebrazo como si la muerte tatuase una imborrable presencia, no parece una mujer triste, simplemente desconcertada, como si no hallase su sitio en la quietud de la mañana, como una de esas mujeres de algunos cuadros que miran el horizonte desde una ventana abierta al mar o a callejones ciegos, pensé que tendría que contarle esta historia al escritor de la habitación 6 de la pensión lausana para que él la transforme en un relato o un poema que le dé sentido a la presencia de la mujer en mi cuarto

anoche el escritor y yo estuvimos hablando de madrugada hasta cerca del amanecer, revisábamos nuestras vidas como quien hojea un álbum de fotos, nos entregamos autobiografías como intercambiando sellos o cromos, de noche uno se abandona a esos inútiles ejercicios de relatar su vida como si nuestras existencias fueran singulares, como si nacer fuese otra cosa que un irreparable error, un accidente, un azar más o menos generoso, pero había que llenar las horas de alguna manera, es muy cierto que no amé a dios sobre todas las cosas, le dije al escritor que un día será famoso y firmará ejemplares de sus libros por todo el país y quizá se encargue de tirar mis cenizas al océano, no quiero que me entierren en esta ciudad —le pido— mientras bebemos en la cantina de la estación del ferrocarril a las 11:38 de la noche, a veces se detiene un tren, bajan y suben pasajeros tristes como sombras cargados de equipajes inútiles, entre ellos un negro enorme que parece desorientado como si hubiera equivocado su destino y viajase de un continente a otro huyendo de una persona a la que posiblemente le adeuda algo o buscando un futuro, una mujer, el olvido, el negro es muy alto, mira el reloj del andén, se apoya contra una pilastra y enciende un cigarrillo, fuma sin apenas moverse como si posase para un fotógrafo oculto en algún rincón, el de la 6 me pregunta si nunca me paré a pensar qué transportan los viajeros en sus maletas, le respondo que eso es asunto de escritores no de borrachos como yo, que nada me importa a mí lo que la gente cargue en sus maletas, para qué, todos transportan lo mismo, su patria su pasado la nostalgia de un ayer tan breve como un viaje, en las maletas siempre almacenamos bagajes inútiles, cosas que no utilizamos nunca o que si nos roban podemos reemplazar fácilmente, quizá el escritor cuando se marche de la pensión guarde en su maleta la nostalgia de las manos de joyce, el de la 6 habla a menudo de joyce, afirma cosas que yo no alcanzo a entender como que tiene nostalgia de la memoria de las manos de joyce, en el fondo no resulta difícil comprenderlo porque también yo siento nostalgia de la memoria de mis manos cuando mis manos eran firmes, diestras, útiles, no me interesa el contenido de ninguna maleta a mí que nunca amé a dios mucho —digo— probablemente y sin darme cuenta haya tomado en vano su sagrado nombre porque siempre hablamos de más, siempre decimos palabras de más, hay que tener cuidado con las palabras y con los gestos, el escritor afirma que le gustaría subir a un tren ignorando adónde se dirige y apearse donde se detenga, debe de ser como empezar un libro sin saber adónde te conducirá, explica el escritor que es joven y tiene derecho a soñar: yo no, yo soy viejo y me importa un carajo conocer el destino de los trenes, el destino de los trenes como el nacimiento es un accidente, un error irreparable, un azar más o menos siniestro, más de uno al llegar al término del viaje se lamenta de haberlo emprendido, tal vez por eso una mujer se suicidó en la 9 de la pensión lausana hace un cuarto de siglo, por haber emprendido un viaje equivocado, enciendo un cigarrillo, bebo mi cerveza, no recuerdo si le digo o sólo pienso que nunca supe con seguridad en qué día vivía así que en efecto no santifiqué las fiestas, de acuerdo, ni honré a mi padre y a mi madre, en realidad apenas tengo recuerdos de mi madre que estaba siempre enferma en sanatorios y hospitales como un personaje de *la montaña mágica*, el libro que me prestó el escritor y que nunca acabé de leer, murió muy joven, casi no dejó memoria alguna aunque me acuerdo de ella a medida que envejezco, veo su imagen como la de la suicida, como si reclamase volver a la vida y rectificar mis pasos de vagabundo, mi padre vivió más, sólo eso, heredé su culo sus orejas sus manos, poca cosa, volvió a casarse, no acudí a su boda, nos perdimos, en fin, los honré poco, quizá el destino me esté castigando ahora por esa falta, el escritor dice que sus padres viven, que habla con ellos por teléfono pero no piensa regresar a su ciudad hasta que obtenga el planeta u otro premio importante y pueda ofrecerles dinero porque son pobres de solemnidad, llegaré en un audi 100 —dice— conducido por un chófer negro como ese hombre desorientado que fuma en el andén, llamaré al timbre y cuando me abran les diré nos vamos, no hagáis las maletas, aquí no hay nada que merezca la pena llevarse salvo esa fotografía de estudio en la que estamos los tres posando contra un cielo azul y falso con falsas nubes blancas, un tren amarillo pasa de largo por la estación como un relámpago, creo que no maté —le digo— aunque según radinovic, el tapicero que vive en la habitación 7, todos somos culpables de algo, nuestros gestos son gestos de exterminio como nuestras palabras son palabras de muerte, por eso hay que tener cuidado con las palabras y los gestos, incluso cuando no actuamos asesinamos por omisión, eso piensa radinovic, yo creo que no maté a persona alguna pero a algún que otro ser vivo le quité la vida, no sé si la ley de dios hilará tan fino, distinguirá entre personas y animales, disparé en mi infancia a gorriones con una escopeta de balines y aunque alardeé de mi puntería no recuerdo haber tocado nunca con mis manos el cadáver de un pájaro, el cadáver de un pájaro en las manos tiene que ser una cosa tristísima como los viajeros que esperan de noche en los andenes de la estación, como la mirada de la suicida que se quitó la vida en 1980 en esta misma habitación de la pensión lausana, el escritor rehúsa el cigarrillo que le ofrezco, acepta otra ronda de cerveza, cuenta que está estudiando latín para leer a horacio, que le gustaría recorrer italia roma florencia nápoles bolonia milán venecia, cuando llegue a una de esas ciudades no me sentiré defraudado —dice— no lamentaré haber emprendido el viaje, si no fuera por mis padres quizá marchase a vivir a italia para siempre, le auguro que será famoso, recorrerás cientos de países, ganarás dinero y podrás volver con tus padres —le digo— sonríe como un payaso con la espuma de la cerveza en los labios, en fin, yo no estoy seguro de haber matado o no, de haber quitado o no la vida, ni creo haber matado a nadie a disgustos, la vida, por ejemplo, se encargó de matar a disgustos a la suicida de la 9 de la lausana y después ella se remató para reparar el error de nacer o de haber emprendido un viaje equivocado, acaso radinovic el tapicero tenga razón y por estar aquí bebiendo cerveza en vez de hacer no sé qué acto que el destino me tenía dispuesto, esté muriendo alguien por mi culpa en algún lugar del mundo en angola en perú en camboya en etiopía en creta en islandia en chechenia o en este mismo barrio donde bebemos el escritor de la 6 y yo, el escritor se levanta, va hasta una antigua máquina de discos de las que ya casi ni existen, de ésas que sólo se ven en algunas películas estadounidenses que suceden en bares de carretera con una mesa de billar, una rubia de grandes tetas, un macarra que fuma, un ex policía alcohólico y todo ello bajo una luz de burdel, afuera hace un calor insoportable, hay un lagarto en una roca, todos —el lagarto la chica el policía el chulo— permanecen inmóviles como personajes de un cuadro de edward hooper o extras sin diálogo, sólo esporádicamente el lagarto blande la lengua, el escritor habla como si hubiese visto la película hasta memorizarla o escrito el guión de la escena, sin embargo —dice— en esa aparente quietud adivinamos la tragedia, sabemos que antes o después sucederá algo, la tetona y el macarra discutirán por una tontería y cuando éste la golpee hasta la sangre va a intervenir el ex policía alcohólico, quizá no sólo para ayudar a la chica sino para redimirse o limpiar su pasado o buscar el final que le inflige el chulo con un cuchillo, la mujer gime en el suelo, posa una mano sobre el cadáver del ex policía, el asesino sale del bar como si no le importara lo acontecido y fuese a entrar en otro bar con otra chica de grandes tetas y otro ex policía alcoholizado, como si su destino fuese el de un dios cruel que entrara en todos los bares de carretera de estados unidos para exterminar hasta el último ex policía alcohólico de su país, bajo el sol inclemente el lagarto abandona la roca a toda velocidad cuando se acerca el chulo que limpia de sangre la hoja de la navaja, el escritor llama a la máquina de discos jukebox, comenta que en una novela que le gusta mucho de un tal selby los jóvenes matan las horas en torno a la jukebox de un bar bebiendo alcohol, tragando anfetas, escuchando música, mete una moneda y empieza a sonar *bye bye love* de simon y garfunkel *bye bye sweet caress hello emptiness I feel like I could die*, actos impuros sí he cometido, no sólo en mi cuerpo sino en los cuerpos de todas las mujeres que a ello se prestaron —le digo al de la 6 cuando vuelve a sentarse— muchas veces me ganaba el deseo en la pensión esperando a una mujer que había jurado pasar la noche conmigo y no venía, yo salía a buscarla, recorría las plazas las calles los puentes las alamedas los patios los bares, recorría en vano todas las esquinas del mundo, todos los rincones de la tierra, regresaba derrotado y en la 9 de la pensión bebía y terminaba por masturbarme aunque tal como anunciaba mi horóscopo para aquel año la culpa la tenía saturno que se manifestaba desfavorablemente en mis relaciones provocaba conflictos con mi pareja y si no resolvía los problemas cotidianos quizá todo ello desembocase en ruptura, así que no voy a mentir, cometí actos impuros, no me arrepiento, le pido a la vida que me permita cometer muchos más con putas baratas o mujeres que acepten pasar un rato con un tipo como yo que heredó de su padre un físico tan vulgar aunque alguna mujer me dijo que mis ojos eran bonitos y que mis manos pequeñas fuertes y peludas acarician de forma tierna, que sabían buscar los secretos de un cuerpo femenino, no la creí, era una puta que encontré una noche, pienso que lo dijo para consolarme porque bebí tanto que no pude empalmarme siquiera pero la verdad me gustó lo que dijo de mis ojos y mis manos, los ojos que heredé de mi madre enfermiza y las manos que heredé de mi padre, el de la 6 me cuenta que ahora está trabajando en una novela que trata de un negro gigantesco llamado baltasar que vive en una buhardilla, que nunca sale a la calle excepto para comprar, que pinta en las paredes de la habitación y ahí se le atascó la historia, con los garabatos en las paredes, el negro es tan alto que roza con la cabeza el techo abuhardillado, mi amigo el escritor está desesperado porque no sabe cómo seguir, le recomiendo que haga salir al personaje, que recorra las calles las plazas los puentes los parques los suburbios los cementerios como hago yo cuando busco a las mujeres que no acuden a las citas, los borrachos tenemos una intensa vida social —le aseguro— él prefiere romperlo todo y empezar de nuevo, afirma que es como subirse a un tren que ignoramos adónde se dirige y descender cuando se detenga, a media noche entró en el bar el marroquí que pasa a diario con su cargamento de linternas alfombras relojes de imitación (relojes bastardos de mil marcas girard perregaux tissot paul versan cartier sandoz omega potens montblanc, detesto los relojes, los relojes de pared de carillón de arena de sol de pulsera de agua de leontina los de los ayuntamientos y campanarios analógicos y digitales los despertadores, sus marcas suenan en mis oídos como los mil nombres de satán, tagheuer beaume and mercier zenith festina movado seiko casio lotus valentín ramos longines viceroy breil citizen rolex vacheron swatch patek raymond weil: quizá esos relojes falsos midan el tiempo de otra forma, acaso las personas que lleven en sus muñecas relojes auténticos y caros —armani rolex cartier— vivan más que quienes emplean relojes de imitación comprados a incansables marroquíes, a lo mejor los que no usamos reloj estamos muertos, como las personas descalzas, una persona descalza es una persona muerta, una persona sin reloj es una persona sin futuro, ni pasado, ni presente, una persona sin tiempo) pulseras camisas y perfumes de marcas falsificadas saluda —laila tiaba— y deja la mercancía encima del frigorífico de los helados como los restos de un sueño, como las miserias que el mar devuelve a la playa tras el naufragio, habló de tánger, de una mujer, de un cementerio, za'oga —dijo— y ann lazinak —dijo— y yo pensaba en otra mujer mientras bebía y escuchaba al escritor

pensaba en ti que habías dicho que vendrías a mi cuarto de la pensión, a media tarde me duché y me corté las uñas y repasé mi afeitado, cambié la ropa interior, hice la cama, ordené la habitación, abrí la ventana para airear tantas noches de tuberías obstruidas y sudores, regué el geranio y lamenté que al letrero de neón lausana le quedaran sólo tres letras u a n, quería que las siete letras se apagaran y se encendieran sobre tu piel LAUSANA lausana LAUSANA lausana como relámpagos que ocultaran y mostraran ese cuerpo que algunas veces me prestó el sustento para una biografía perdedora que le cuento en la cantina de la estación al escritor de la 6, era mi deseo tan desordenado como las mercancías que el marroquí desparrama en los bares de la ciudad —perfumes relojes alfombras linternas navajas— y bebí una copa reposada para hacerte el amor con tal prudencia que tuviera memoria en el futuro de haberte follado porque a veces el alcohol confunde los cuerpos, bautiza a mis amantes con nombres inventados y apunto en mi agenda nombres de mujeres que me dan sus teléfonos con números falsos y cuando necesito ayuda y las telefoneo siempre una voz repite lo mismo: se ha equivocado, aquí no vive nadie que se llame así, el alcohol vacía en el olvido las pieles y los besos, el dinero que pagué cuando no sólo no había amor sino tampoco piedad para conmigo, no fue difícil saber que no vendrías aunque tengo una paciencia ejercitada esperando a mujeres en bares en esquinas en paradas de autobuses en pensiones baratas a las puertas de los cines donde entro siempre solo y veo películas que no entiendo, que nada tienen en común con la vida como los libros que me presta el de la 6, vacié la botella, bajé al bar unas horas más tarde como todos los días y se pasó la noche como un navajazo que entra lento en la carne con sádica precisión, acaso como entró la hojilla de afeitar en el antebrazo de la mujer que se suicidó en la 9 de la pensión lausana en 1980, quizá ni de tan concluyente forma reparase error alguno y por eso regresa a veces a mi habitación, me cuenta cosas de los bares de carretera en los que trabajó, no hay amargura en sus palabras como si no sintiera nostalgia de la vida, como si estuviera contenta con la muerte y sólo regresara a la pensión lausana para pedirme un cigarrillo cuando tiene ganas de fumar, a lo mejor fumar fue lo que más placer le proporcionó en la vida, quizá si tuviera un cigarrillo a mano en aquel momento en vez de cortarse las venas lo hubiera fumado y hoy seguiría viva, cuando empezábamos a hablar el escritor y yo apareció el marroquí —ahalan— extendió como siempre los relojes alfombras linternas navajas barras aromáticas mecheros y antes de salir le pregunté por el precio de aquel perfume falso de carolina herrera for women, tres euros, eso pagué por el frasco amarillento, lo tengo sin abrir sobre la mesa de noche por si algún día te arrepientes y vienes a buscarme, cuando te desnudes rociaré tu cuerpo con el perfume y haremos el amor hasta que el cansancio nos separe, hasta que se extinga el olor de un perfume que tiene un nombre que no le pertenece como todos los nombres de mujer que yo llevo anotados en mi agenda, aquella noche sin ti fue otra noche más para la memoria del olvido, el olvido posee su memoria en la que sobreviven las mujeres que no acuden a las citas, las botellas intactas, los nombres inventados de las agendas, los padres ausentes, las piscinas vacías, los trenes invisibles de la madrugada, los letreros de las pensiones, los dientes caídos como lápidas de un cementerio, las lápidas de los cementerios son los dientes de la muerte y mientras la esperaba revisé mis pertenencias

bien poco acumulé a lo largo de mi vida, una cazadora tan gastada que apenas me protege del frío, un par de jerséis, tres camisas, un par de pantalones, una bufanda, tres pares de calcetines y dos calzoncillos, no sé cómo alguien se va a atrever a quererme, en una estantería están los libros que me prestó o me regaló el escritor de la 6, en la mesa de noche los cajones semiabiertos, los cajones vacíos, ya lo dije, son lo más triste del mundo, los cajones vacíos y las bombillas fundidas y las casas deshabitadas y los viajeros que caminan de madrugada por los andenes y las bocas sin dientes, en esos cajones acumulo los sucios tesoros de mi vida, el cortaúñas, los preservativos, algunos medicamentos, tras la portezuela de la mesa de noche pervive como un resto del siglo XIX un orinal: españa: aparta de mí este cáliz, este puto cáliz de orines y de líquidos siniestros salido de una novela de galdós —eso dijo el escritor cuando descubrió el orinal— a ver a qué mujer le digo un día si me quieres o ni eso tan sólo, si te quedas conmigo y no para siempre, simplemente un par de semanas o unas horas, tuyo será este reino, la ropa, los condones, los libros, las medicinas, el cortaúñas, la navaja de afeitar y la crema y la espuma y el peine y mi manía de beber a deshora contra todo juicio sensato y esta piel que se arruga y estos brazos cansados y este sexo cada día más blando, adopto un aspecto de bohemio maldito frente al espejo

hace meses compré un sombrero en el mercadillo, había estado en el bar a media mañana sin saber qué hacer con mis manos, es terrible entrar en un bar, pedir una botella de vino y no saber qué hacer con tus manos cuando dejas el vaso y apagas el cigarrillo, es dolorosa esa inmovilidad de iguana bajo el sol fulminante del estío, escribes con alcohol en la mesa nombres de pensiones, de mujeres, de ciudades, porque las manos tienen memoria como el olvido, las manos sienten nostalgia de cuando eran útiles, de cuando servían para algo, para arreglar un enchufe, acariciar un cuerpo, hacer las maletas, desenganchar un pez de un anzuelo, a lo mejor tienen nostalgia de cuando pulían el sílex o chocaban dos piedras para conseguir fuego o pintaban las paredes de las cuevas como el protagonista de la novela del de la 6 emborrona las paredes del tabuco, ah la memoria de las manos, no sólo las mías, la de las manos de los hombres desde adán, las manos de judas, de pilatos, de cristo, las manos de los obreros, de los pintores, las manos sabias de las comadronas y de los pescadores y de los carniceros, se lo digo al escritor, lo de la memoria de las manos, él se mira las suyas, hermosas y delicadas, comenta que en realidad sus manos tienen nostalgia de las manos de joyce, eso dice, o nostalgia de la memoria de las manos de joyce, algo así asegura el escritor de la 6 y parece un tanto melancólico contemplando las palmas de las manos como si no fueran suyas sino de otra persona, unas manos prestadas, los escritores son gente muy rara, viven de noche, se emborrachan, hablan solos, se apostan en las mesas de los bares, rehúyen los espejos, se odian tanto que saltan desde los puentes o se aman tanto que eligen suiza para morir, por la televisión pasaban una película en blanco y negro, yo bebía y miraba el edificio de enfrente en el que unos obreros reparaban el tejado, dos hombres con los torsos desnudos que mantenían sus manos ocupadas con tejas y martillos y cuerdas y sopletes, uno de ellos era un negro enorme que parecía buscar su patria desde allá arriba, tan grande que rozaba las nubes con el pelo ensortijado y mis manos ociosas sintieron envidia de las manos inquietas de los obreros, pensé en cómo se vería el mundo desde tan alto, desde esa altura de palomas y gorriones, uno de ellos encendió un cigarrillo y observó la ciudad, me gustaría estar ahí arriba, ayudarles a reparar el tejado, mantener una conversación, hacer un descanso, beber una cerveza, mirar el mundo con ojos de semidioses, desde ahí los problemas de la gente deben de ser pocos y humildes, como mis asuntos, hay una belleza descuidada en los torsos sudados de los obreros, una dureza animal que no tiene nada que ver con los torsos musculosos de michael gross o de alexander popov o de mark spitz, de los nadadores olímpicos, pero no dejan de ser hermosos, un obrero es siempre un emigrante, hoy en un edificio, mañana en otro, como aves que anidan en distintas ramas, un obrero es como el marroquí que vocea sus mercancías por los bares, nuestra comodidad está en las manos callosas de los obreros que acarician a sus mujeres con tacto áspero, subiría al tejado con una botella de vino y divisaría la ciudad como un pájaro, pensando en nuestra vida que está siempre en manos ajenas, en las manos de los obreros, de los conductores de autobuses, en las manos de los médicos y de los cocineros y de los zapateros o en las manos de los escritores, el de la 6 deberá hacerse cargo de mis cenizas con sus manos hermosas, en la televisión humphrey bogart entra en un piso, se quita el sombrero, lo lanza contra el perchero y allí queda colgado, luego enciende un cigarrillo que lo llevará a la muerte unos años después, en cuanto acabe la botella iré al mercadillo y compraré un sombrero, así podré pasar las horas en la pensión ensayando una y otra vez hasta encajarlo en el perchero, debe de ser más entretenido eso que quitarse y ponerse la dentadura postiza una dos tres cuatrocientas veces como hago yo en las tardes aburridas porque no se cumple nunca lo previsto en los horóscopos, el mío señala que éste sería un año de grandes cambios en el ámbito físico que realizaría nuevas actividades deportivas o algo relacionado con la aventura pero no es así, nunca sucede así, llegará un momento en el que no falle y ejecute el gesto de bogart con exacta precisión, entonces mis manos no serán unas manos ociosas sino unas manos útiles y diestras como las de los obreros que se han sentado y comen los bocadillos que les han preparado en casa sus mujeres a las que acarician con manos callosas y urgentes

me levanto y camino hacia el mercadillo, pienso en el sombrero que compraré, hay un tenderete especializado en sombreros de todos los tipos, de todos los colores, cada cabeza del mundo tiene aquí su sombrero, los voy probando uno a uno y me miro en el espejo clavado en el tronco de un árbol, pasamontañas bombín gorro panamá de copa tirolés visera australiano boina canotier chambergo sherlock holmes cordobés chistera vaquero fez gaucho borsalino, pienso también en lo que puede cambiar el rostro según el sombrero que uno se ponga, un sombrero es peligroso, como los gestos, como las palabras, te da un aire de policía o de mendigo, de viajante, de personaje de película en blanco y negro, hoy sólo se ven sombreros en las cabezas de personas que vivieron en el siglo pasado, en el suelo del mercadillo el pintor pacôme que vive en la 4 de la lausana ha extendido una caja de cartón desdoblado y como poseído por la locura del whisky que consume a diario se ha puesto a emborronar los cartones, va de uno a otro incansablemente, se salpica la ropa con los colores, da un trago a la botella, adelgaza al ritmo del alcohol, mira con ojos miserables los trazos enloquecidos y después se ríe, atraviesa el aire vocinglero del mercadillo con sus risotadas de hombre enfermo al que sólo le quedan unos meses de vida, unos meses de vida para terminar alguno de los múltiples cuadros que comienza y que rompe cuando la violencia del alcohol puede con la violencia de su talento, pobre pacôme, al final me quedo con un stetson agujereado en la copa que rebaja su precio a cuatro euros, me lo pongo, salgo del mercadillo, camino hacia la pensión, quiero llegar pronto y lanzar el sombrero miles de veces hasta que encaje en el perchero con la precisión de bogart en la película del bar, en la puerta de la lausana me encuentro con el escritor de la 6, me mira, yo le sonrío, ¿a que me parezco a humphrey bogart?, él me sigue mirando como si no me reconociera, responde que no, que con el sombrero en realidad me parezco a franz kafka, antes los escritores usaban sombreros, todos los buenos escritores usaban sombrero y escribían en los bares, en los casinos, en las buhardillas, no hay un solo buen escritor del siglo XX que no usara sombrero —repite— saca de la cartera una fotografía tomada a contraluz en la que aparecen un hombre y una mujer a los que apenas se les distinguen los rostros, la fotografía está hecha desde el interior de un establecimiento y la pareja permanece en el umbral, no se sabe si entran o salen o si están quietos posando, la mujer de perfil con las manos en la espalda es sylvia beach —explica el escritor— el hombre que tiene un sombrero y utiliza un bastón muy delgado es joyce de cuyas manos siente nostalgia mi amigo o nostalgia de la memoria de sus manos, ambos permanecen en el umbral de la librería shakespeare and company de parís, es el año 1920 —dice el de la 6— han pasado veinte años desde que se celebraron allí los juegos olímpicos y las aguas del sena olvidaron los cuerpos de los nadadores y los cadáveres de los suicidas, los objetos extraviados en el fondo del río, el de la 6 conoce muchas cosas de la historia del mundo, dentro de un par de lustros será tan sabio como radinovic y rescatará a sus padres del piso ruinoso donde ahora viven, después el escritor continúa su camino por la acera volviéndose a mirarme como si en vez de parecerme a kafka yo fuese kafka o algo así y sintiera también nostalgia de las manos de kafka o de la cabeza de kafka bajo la copa agujereada de un sombrero, en mi habitación bebo un vaso de whisky, lanzo el sombrero y fallo, no resulta fácil acertar, nada fácil, continúo intentándolo dos cinco trece veintiséis veces y fallo siempre, me aburro, pongo el sombrero, me asomo a la ventana y miro a los obreros del tejado, tienen su tiempo ocupado, no necesitan comprar sombreros con los que entretenerse porque sus manos no sienten nostalgia de otras manos, como las mías, las mías tienen nostalgia de todas las manos trabajadoras del mundo mineros pescadores peones matarifes feriantes tapiceros escultores conductores electricistas cirujanos, mis manos ya no sirven siquiera para el amor, estas manos pequeñas y peludas que heredé de mi padre, manos inhábiles y ociosas

recuerdo entonces a la última mujer que aceptó subir conmigo a la 9 de la lausana, yo estaba en un parque con una botella de vino hojeando *la montaña mágica* que me había prestado el de la 6, no tenía para mí mucho interés aquella historia de enfermos, los libros siempre hablan de cosas que no ocurren, de negros que miden 1,99 como en la novela del escritor, los libros mienten igual que mienten las películas que veo cuando entro solo en los cines después de esperar en vano a mujeres que nunca acuden a las citas y que también mienten como las películas, como los libros, pensé en mi madre muerta de la que heredé sus ojos y pensé en la suicida que escuchaba *bye bye love* mientras agonizaba y buscaba un cigarrillo para encenderlo y comprender la realidad del mundo o la sinrazón del mundo, cualquier motivo que la hiciera arrepentirse de haberse cortado las venas y desear seguir con vida, me detuve en una frase que memoricé *amando como se ama cuando el amor está prohibido* acaso porque el tiempo transcurría y un día también me estaría prohibido el amor pese a las previsiones de los horóscopos y ni con mi corazón cometería adulterio, qué hace uno con su cuerpo cuando ese cuerpo ya no responde al deseo, eso pensaba, en cómo serían mis noches en la pensión mirando las bombillas fundidas, los cajones vacíos, los objetos del cuarto, la mancha de humedad del techo, bebiendo aguardiente con radinovic, hablando de los cuerpos de las nadadoras y de johnny weismuller con la de la 2, escuchando al encargado maldecir la marcha del negocio, cerraré la pensión lausana y volveré a suiza, montaré piezas de relojes en ginebra, barreré la sede del comité olímpico en lausana, abriré un bar de putas en zurich, viajar borracho por el mapa de parís donde hace cerca de cien años coincidieron sylvia beach y james joyce, a veces el escritor de la 6 y yo vagabundeamos borrachos por parís, nos reunimos a beber en la 9, contemplamos el mapa, nos invade la nostalgia de un lugar en el que nunca estuvimos, me gustaría acercarme hasta el mercado d'aligre —dice el escritor— que está en los alrededores de la plaza de la bastilla, en ese mercado hay un viejo que vende radios, libros, botones, marcos, oigo hablar idiomas irreconocibles como si todos los desterrados los expatriados los exiliados de la tierra buscasen refugio en d'aligre que huele a frutas tan irreconocibles como los idiomas que escucho, frutas que llegan aquí en barcos y aviones que cruzan todos los mares del mundo como los comerciantes que exhiben en los puestos del mercado los tesoros ancestrales almacenados durante generaciones y que ahora saldan porque la historia familiar es una historia de emigración y de supervivencia, el escritor hojea los libros del puesto, yo regateo con gestos un cristo oxidado, tiene todavía los tornillos en las palmas de las manos, pienso en el lugar que quedó deshabitado sin el cristo, la cruz vacía en una lápida, en una capilla, tal vez alguien lo robó creyendo que se llevaba una fortuna pero hoy nadie paga rescate alguno por un cristo secuestrado, los objetos van perdiendo su valor y terminan por ofrecerse en los mercados a precios irrisorios, pienso en la soledad de esa cruz tan amarga como la soledad de las vocales, compro el cristo por tres euros, nada más que eso cuestan la fe, la vida y la muerte, soy judas negociando la traición de jesús por tres miserables euros, el precio de una botella de vino, a lo mejor heredé de judas las monedas que cargo siempre en los bolsillos, todas las monedas manchadas del mundo, el escritor mira el cristo, está triste —dice— después me enseña el libro que compró *malone meurt* aunque no sabe francés quiere tener un recuerdo de parís, así cuando la habitación 6 se le venga encima, escuche a lou reed, no se le ocurra nada para su novela *la memoria del olvido* y se emborrache y blasfeme y se maldiga por dedicarse a la literatura, por no ser capaz de comprarles un piso nuevo a sus padres y tenga tentaciones de cometer cualquier barbaridad como opositar a funcionario —dice— contemplará el libro, recordará parís, seguirá teniendo fe en la literatura y en dios que es irlandés y se llama james joyce y no ese falso cristo que compraste, cuando lo crucificaron de las llagas de joyce manaba cerveza guinness en vez de sangre, de la herida del costado brotaba la historia de la literatura irlandesa —asegura el escritor— en la terraza de un café de bastilla un camarero negro y enorme atiende a una pareja, la mujer es rubia, tiene los ojos claros, el escritor le inventa un nombre —milena— el hombre la mira tiernamente como si después de consumir los cafés tuvieran que despedirse para siempre, él se llama franz dertod, es judío —dice el de la 6— le está jurando a milena que si un día la vida los separa él irá hasta el fin del mundo o de la noche o del tiempo para encontrarla, que renegará de sus amigos, de su familia, de su patria, de su religión, de su dios para buscarla, que ni la muerte podrá alejarlos, milena lo escucha sabiendo que lo que le promete franz es mentira, el texto de una canción de edith piaf o de un poema de éluard porque la vida como la muerte es irreparable, fatalmente irrectificable, el camarero se llama baltasar —afirma el escritor— tal vez haya nacido en sudán o níger, deja el cambio en el platillo y sonríe a milena al retirarse, cuando milena abandone a franz —fantasea el escritor— ella y baltasar serán amantes, el de la 6 hojea el libro y al pasar las páginas sale polvo como si las palabras se hubiesen oxidado después de tanto tiempo sin que nadie las lea, también el cristo que compré tiene óxido, tal vez porque hace años que nadie le reza, que nadie cree en él, el de la 6 y yo abandonamos parís con tristeza, miramos hacia atrás, milena y franz se están besando pero parece más un gesto de despedida que un gesto de amor

no es fácil la vida de un desocupado aficionado al alcohol y que padece insomnio, que alguien trate de imaginar cómo se llenan tantas horas, uno pasea por la ciudad, entra en los bares, charla con los vecinos, se encierra en su habitación, lanza sombreros a los brazos del perchero, juega con la dentadura postiza, va a la estación para ver pasar los trenes, fuma un cigarrillo en un puente, sueña con mujeres que no llegan nunca, con nadadoras de cuerpos hermosos que se zambullen en los ríos desde los tejados, desde los árboles, desde los balcones de parís, de venecia, de zaragoza, de praga, de moscú, el tiempo es muy largo y muy lento, el tiempo es un nadador que tiene que recorrer el río sena o el ebro o el danubio o el ródano o el tíber o el orinoco, el tiempo son los miles de kilómetros que hace laure manaudou entrenando en una piscina de cincuenta metros o las series infinitas que agota merlene ottey en la pista para competir en los juegos olímpicos de atenas y no clasificarse para la final, pobre y triste merlene de piernas también infinitas como el tiempo, entonces me siento con una botella en un banco, contemplo a los niños, observo mis pies cansados, las parejas que hablan, el cambio de los granos de arena en la tierra, las palomas lisiadas, el desplazamiento casi imperceptible de mi sombra en el suelo, recojo las monedas que alguien me da equivocadamente y cuando hojeaba el libro que me había prestado el escritor ella se sentó a mi lado y empezó a hablar de thomas mann, tenía una voz bonita, hablaba de las obras de thomas mann hasta que le dije que yo era escritor, me miró sorprendida como el de la 6 cuando me vio con el sombrero y comentó que me parecía a kafka, ¿me invita a un trago?, limpió el cuello de la botella, la llevó a los labios, dejó restos de carmín como la suicida de 1980 en la 9 de la pensión dejó restos de sangre en la ropa de la cama, eso me contó una noche el encargado, cómo encontró el cadáver de la mujer que no pareció contrariarlo tanto como la sangre de las sábanas y el colchón, ¿sabe lo que me costó lavar todo aquello?, en realidad ya no escribo —le dije a la mujer del parque— ya no me interesa, por eso ya no uso sombrero, ¿sabe usted si thomas mann utilizaba sombrero?, ella responde creo que sí, entonces —digo— es un buen escritor, hace años fui escritor, nunca vendí mucho, la verdad, aunque los críticos me respetaban, ella quiso saber mi nombre, le contesté que los nombres carecían de importancia, los nombres de las personas de los puentes de las ciudades de las pensiones carecían de importancia, ¿firmaba los libros con su verdadero nombre?, no, lo hacía con un pseudónimo, franz dertod, viví en parís durante muchos años, en el 5° piso del 21 de faubourg st antoine y la editorial gallimard quería traducir mis libros al francés pero me negué porque la literatura debe ser un oficio secreto, un tanto vergonzoso, uno no puede ir diciendo que es escritor como no puede decir que padece de la próstata, yo ahora se lo cuento porque ya no soy escritor, ya no utilizo sombrero, ya no soy franz dertod, franz dertod ha muerto, era feliz en parís, en los puentes, los barrios, los bares, los muelles de parís, sólo se es feliz cuando se tiene un nombre inventado, cuando uno se llama franz dertod, cuando uno es otro, cuando uno es otro ya no tiene que reparar el error de nacer y puede morir con cierta decencia, ¿me entiende?, hay que ser siempre otro para ser feliz —le digo— la mujer me invita a un cigarrillo y bebe de nuevo, me parece hermosa, resulta agradable su compañía, huele a perfume, a lo mejor también ella se lo compra al marroquí, a lo mejor ella no leyó a thomas mann igual que yo no escribí ningún libro pero eso no tendría importancia, leer a thomas mann, escribir libros, dejar memoria de uno, componer sinfonías, fundar una familia, saber idiomas, estudiar una carrera universitaria, entender de redes informáticas, lo importante es reparar sillones, arreglar tejados, lanzar sombreros a los percheros, beber en los parques, ver pasar los trenes, nadar en las piscinas, suicidarse en una pensión, encontrar compañía para las noches de tormenta, recoger un guante extraviado, que arrojen tus cenizas a un fiordo, eso es lo verdaderamente importante, lo superfluo, ¿qué libros escribió?, recito los títulos de los libros escritos por el de la 6, pero ya no se encuentran —digo— quebró la editorial en la que publicaba y no hay forma de hacerse con ellos, acaso quede alguno en un puesto del mercadillo, en una librería de viejo, en algún basurero, ella dice qué pena, me gustaría leerlos, señor dertod, no estoy muy satisfecha con la vida y a veces escribo para desahogarme, le dije que eso era un error grave, que para escribir había que estar muy satisfecho con la vida, no haga caso de lo del arte y la infelicidad —le aseguré— yo antes escribía y era feliz, ahora no escribo y ya me ve usted, entonces me pasó el dorso de una mano perfumada por la mejilla, tiró el cigarrillo, ¿no tiene usted un sitio donde seguir hablando?, caminamos en silencio hasta la pensión, ella un poco detrás de mí, tal vez se avergüence de mi aspecto, de mis ropas gastadas y mi desaseo, caminar a mi lado no debe de ser un orgullo para mujer alguna, mi aspecto y mi olor son los de los habitantes de la noche, los camiones de la basura, las tapias meadas, las frutas descompuestas, los perfumes falsificados que vende el marroquí que huele a pensión de cuatro metros cuadrados en los que se hacina una familia numerosa como mis ropas gastadas y mi desaseo, cuando entramos en la 9 de la lausana la mujer la recorrió despacio como si la suicida de 1980 se hubiese reencarnado en ella y visitara la habitación resucitada por la nostalgia, de la vida de la misma forma que el de la 6 tiene nostalgia de las manos de joyce, o tratase de descubrir por qué se había quitado la vida, por qué no había llegado a tiempo para salvarla art garfunkel, por qué en vez de llorar mientras la sangre corría por el brazo canturreaba *bye bye love*, miró la fotografía del viejo calendario y la pileta y el armario de espejo y el mapa de parís miró el geranio miró el cristo miró la cama miró la mesa de noche miró la mancha de humedad miró por la ventana el letrero con las letras fundidas el callejón con los contenedores de basura donde yo depositaba las botellas vacías las tristes botellas vacías, serví dos vasos de whisky y esperé mientras contemplaba su cuerpo desde atrás, quise decirle acércate mujer, franz dertod va a hablarte de literatura, ella se giró, quedó a contraluz en el marco de la ventana igual que sylvia beach y james joyce en la puerta de shakespeare and company en 1920, a lo mejor se acostaron en alguna pensión de la calle lepic y james le susurraba obscenidades a sylvia como en las cartas que le escribía a nora, quiero oler tus pedos que son como nubes de algodón dulce, quiero acariciar tus bragas húmedas, quiero poseerte por delante y por detrás, sylvia, SÍ, miró de nuevo el cuarto como si hubiese descendido de un tren en una estación equivocada, como si de pronto recordase una cita urgente que había olvidado, dijo lo siento, otro día, y salió de la habitación, otro día, otro futuro que no llegaría nunca, otro porvenir inexistente, vacié de golpe uno de los vasos, me senté en la cama, lancé sin éxito el sombrero al perchero, encendí un cigarrillo que tal vez me acerque a la muerte como a humphrey bogart, cogí el libro de mann, lo arrojé contra la pared, rebotó en ella y quedó abierto en el suelo como un pájaro, los libros son pájaros, son mentiras, palabras inútiles con huecos en las vocales y en las consonantes, agujeros en el silencio, eso son todos los libros, repetí en voz alta la frase que había memorizado en el parque *amando como se ama cuando el amor está prohibido*, yo, hans castorp, que lamenta la ausencia de clawdia chauchat, yo que tantos hombres había sido —franz dertod ian torphe humphrey bogart judas iscariote hans castorp eric moussambani— era ahora un enfermo de soledad en una pensión barata, pensé que todavía me quedaban otros muchos hombres que ser y ninguno de ellos heroico, ninguno de ellos se colgaría una medalla olímpica ni escribiría un libro de éxito ni ganaría un óscar, cogí el segundo vaso, me observé en el espejo, alcé el brazo, brindé conmigo mismo, me dije: hans, bienvenido al sanatorio internacional berghof aunque no recuerdo si lo dije ese día cuando la mujer se fue u otro día cualquiera cuando otra mujer me dejó, qué más da, las fechas, como los nombres, como los viajes y los libros y la vida, carecen de importancia, lo importante es arreglar sillones estropeados como hace radinovic, qué mujer de aire o qué mujer tan loca o qué mujer insensata se hará cargo alguna vez de todo este desastre y a lo mejor existe existe y llega y se desviste como si nada pasara y estuviera en un hotel de cinco estrellas, cómo no iba yo a querer a esa mujer que no tuerce el gesto ni frunce el entrecejo y se viene hacia mí igual que si acercase sus pies que beso entonces a la orilla del mar

el de la 6 me pregunta si no me gustaría tener una familia, una esposa, unos hijos a los que transmitirles mi piorrea, mi calva, las manos peludas que heredé de mi padre y los ojos tristes que heredé de mi madre, mis excesos, pienso en la mujer que compartiría mi vida, en esos hijos inventados, respondo que no, que beber es un oficio de solitarios, un oficio sin futuro, como los escritores —dice él— algo así, todos los oficios hermosos son oficios solitarios —digo yo— me quedo mirando el vaso de cerveza, se detiene otro tren entre la luz lunar de los andenes, distingo las cabezas de algunos pasajeros dormidos, debe de ser como un sueño viajar mientras duermes, despertar en otra ciudad, en un lugar donde nadie sepa tu nombre y así nadie tome tu nombre en vano, con estas manos pequeñas y peludas que heredé de mi padre y que un día una mujer consideró hermosas he cometido pequeños hurtos, cosas que miré con los ojos heredados de mi madre achacosa en tiendas, en supermercados, en comercios, siempre cuando andaba escaso de dinero porque no era cierto lo que pronosticaba mi horóscopo, no era cierto que aquel año fuese importante para mí porque júpiter transitase por el signo de virgo favoreciendo mi casa en asuntos económicos, no era cierto que esa situación se tradujese en que tanto las ganancias como las inversiones fuesen de mayor cuantía, no era cierto que hubiese una tendencia que estabilizase los movimientos habidos el año anterior, no es un delito que deba avergonzarme, una cerveza que se bebe a escondidas, algo que se consume antes de pasar por caja, huir de un bar sin pagar la consumición, supongo que no acarreará el infierno para mi alma que espero se consuma cuando me incineren y entreguen mis cenizas a alguien de la pensión, a radinovic el tapicero que es un hombre de palabra o al escritor que me escucha y bebe la cerveza cogiéndola con su mano de dedos largos que siente nostalgia de la mano de joyce, él sí tiene unas manos hermosas que un día escribirán una obra maestra, se lo digo y me sonríe, no recuerdo haber levantado falso testimonio nunca pero mentir he mentido siempre como un condenado, me gusta, me gusta mentir cuando dejo que la gente me dé limosna como si fuera un mendigo, por ejemplo, recojo las monedas y compro una botella de vino, a veces le dije a alguna mujer te quiero mientras follábamos aunque acaso fuese cierto que la quería mientras follábamos, he mentido, pues, lo reconozco, de la mañana a la noche estoy mintiendo, a mí mismo y a los demás, cuando repito mi nombre, cuando afirmo que me llamo franz dertod, cuando bebo y me lavo y espero a una mujer en la 9 de la lausana, una mujer que unas veces viene y otras no, miento si la abrazo y si la maldigo por no venir y dejarme solo contemplando el letrero de neón el armario de espejo la mesa de noche el cristo oxidado el mapa de parís la mancha de humedad del cielo raso, finjo una tristeza falsa mentirosa porque no es sino deseo y me masturbo y el placer es otra mentira porque es un remedo del placer que me adeuda la mujer que no vino y en la que pienso y cuyo nombre falso proclamo —laure jane claudia norah susan nastassja— mientras me masturbo, el escritor se levanta, vuelve a poner la misma canción en la máquina, en la jukebox que le recuerda las novelas del tal selby y regresa con dos cervezas más *I sure am blue she was my baby till he stepped in goodbye to romance* en el reloj de la pared apunta una hora temprana todavía, las 12:31, al de la 6 y a mí nos gustan las noches largas, regresar a la pensión de amanecida, a veces nos detenemos a mear contra el tronco de un árbol o una pared, tiene una picha grande y pienso que le dará más satisfacciones que la literatura pero le animo: serás famoso, viajarás en trenes que recorren la madrugada, en aviones que agujerean el cielo como los libros agujerean el silencio del mundo, te darán el premio nobel, podrás acercarte desde suecia a noruega y arrojar mis cenizas a un fiordo, él dice que el éxito no le preocupa, que lo que quiere es tener dinero y comprar un piso para sus padres que viven en el extrarradio, en una barriada miserable con calles malamente asfaltadas por las que pasan coches de cuarta mano, delincuentes y perros sarnosos, tiene talento el de la 6, inmediatamente imagino ese barrio, sus gentes pendencieras, las farolas apedreadas, los edificios ruinosos, una fulana que sale a buscarse la vida, el yonqui que se mete un pico tras una tapia, un niño que le arrea una patada al perro famélico (todo eso —comenta mi amigo— los jóvenes alborotadores, las casas semiderruidas, las farolas rotas, la puta que hace la calle, el yonqui que se mete un pico que lo acerca a la muerte como los cigarrillos a humphrey bogart todo eso —repite— parece un argumento de hubert selby) y los padres silenciosos que aguardan el regreso de su hijo en un audi reluciente conducido por un chófer negro que mide 2 metros de altura, un hijo que les diga: nos vamos y se marchen sin más porque no hay nada que merezca trasladarse al nuevo piso salvo la fotografía en la que aparecen los tres recién peinados posando contra un fondo azul con nubes falsas que también son mentira, cometí pensamientos y deseos impuros, cometí adulterio en mi corazón, deseé a mujeres sentadas en las terrazas de los bares, mujeres que subían a autobuses, que hacían cola en los supermercados, que paseaban entre los tenderetes del mercadillo, deseé a halle berry y a jessica lange y a susan sarandon y a uma thurman y a sophie marceau y a milla jovovich y a lauren bacall y a nastassja kinski y a irène jacob y a jamie lee curtis y a norah jones y a jane birkin y a janis joplin y a shakira y a zizi possi y a carla bruni y a patty smith y a juliette gréco, deseé sus voces y sus cuerpos, deseé a atletas olímpicas como merlene ottey, deseé sobre todo los cuerpos gloriosos de las nadadoras franziska van almsick inge de bruijn kristin otto amanda beard cornelia ender agnes kovacs janet evans shane gould barbara krause haley cope natalie coughlin yana klochkova xuejuan luo laure manaudou, cuerpos que posiblemente no heredaron de sus padres como el resto de los humanos sino de los gimnasios y los dioses, deseé a mujeres de todos los colores, de todas las razas, de todos los países, de todas las religiones, deseé hacer el amor de noche con laure manaudou en una piscina olímpica con los focos subacuáticos encendidos, eso debo confesarlo, lo de los pensamientos y deseos impuros me ayudó a vivir con cierto decoro en la habitación 9 de la pensión lausana donde hice el amor con una mujer que se había suicidado en 1980, quien no desea —le digo— está muerto, quien no ha cometido adulterio en su corazón —le digo— no ha vivido, quien no haya transgredido todos los mandamientos, quien no haya violado todas las leyes merece el infierno, apenas son las 12:50, debo de estar envejeciendo —confieso— las noches me empiezan a parecer demasiado largas, es que de noche el tiempo pasa más despacio —dice el escritor de la 6— le reprocho que esa frase es impropia de un escritor y él se queda un tanto triste, me disculpo, en realidad no entiendo nada de literatura, a lo mejor joyce cuando hablaba con sus amigos decía vulgaridades, él asegura que en las cartas que le escribía a nora barnacle joyce hablaba de pedos y cosas así, al de la 6 le gusta mucho joyce, quisiera ser como él, tener la memoria de sus manos pero ganar más dinero que joyce y proyecta viajar a dublín un 16 de junio, lo harás, claro que lo harás, pasearás por dublín con leopold bloom, beberás pintas de guinness con dedalus, le harás el amor a molly YES serás famoso, recorrerás el mundo entero, te morirás en ginebra, te enterrarán en père lachaise, resucitarás en finisterre, les comprarás a tus padres un piso nuevo y hasta es posible que te amen las mujeres que yo he deseado pero te juro —le digo— que no codiciaré tus bienes ni el dinero que ganarás con tus libros ni las mujeres que te amarán por tu dinero, nunca envidié los bienes ajenos, me ha bastado con lo que la vida me fue dando, con las monedas que me arrojan confundiéndome con un mendigo, con las mujeres que acudían puntuales a las citas, con el aguardiente del tapicero serbio radinovic, con la mancha de humedad del techo que se parece a la isla de jamaica, me basta con eso y soñar con los cuerpos de las nadadoras en las piscinas olímpicas, ya ves que no aspiro a grandes cosas pero tú sí, tú eres joven, debes aspirar a escribir libros perfectos que agujereen el sólido silencio del mundo, amar a las mujeres más hermosas, comprarles el mejor piso a tus padres y cuando te den el nobel te acercas a noruega que está a un paso y arrojas mis cenizas a un fiordo, vuelas a bergen y desde la torre de rosenkrantz las esparces, serán como polen, a lo mejor el viento arrastra una mota de mis restos hasta libia y le entra en los ojos a una mujer y esa mujer lejana llora por mi culpa en el otro extremo de la tierra porque nunca se sabe qué será de nosotros cuando muramos, ¿no crees?, el de la 6 sonríe, afirma que soy una buena persona, quizá lo diga por cumplir como la puta que alabó un día mis manos pequeñas y peludas y heredadas o tal vez no, tal vez sea sincero, tal vez yo sea un buen tipo y no lo sepa, pido dos cervezas más para pensar en ello, aún son las 12:59, tenemos una larga y lenta noche por delante, el escritor sonríe nuevamente, aún le quedan muchas largas y lentas noches por delante, bastantes más que a mí que he cumplido a medias con los mandamientos de la ley de dios y quizá no merezca el infierno

me iré a la cama y despertaré y me encontraré sentada en el alféizar de la ventana a la mujer que se suicidó en esta misma habitación un día lejano de 1980, la mujer echa el humo del cigarrillo hacia la calle pero la brisa lo empuja de nuevo al interior de la 9, me pregunta si soy feliz y no sé qué contestarle, repaso las pensiones en las que viví, los parques estaciones plazas y calles que pisé, las mujeres que me amaron, las que me dejaron y se fueron o no vinieron nunca, las botellas que bebí, los objetos que amontoné, las resacas que me convirtieron en este hombre que da un trago al vaso de whisky, observo a la mujer que se suicidó en 1980, con la mano libre acaricia al animal que se acomodó en su regazo, me gustaría saber el nombre del gato pero sólo le pregunto ¿y tú?, me habla de los bares de carretera donde trabajó, en aragón, en asturias, en extremadura, en andalucía, bares con luz escasa en los que los hombres consumían cubalibres, cerveza, coñac, whisky y en una máquina de discos escogían siempre la misma canción, un éxito de sony and cher de los años 60 o 70 y después sony le partía la cara a cher aunque no recuerdo bien si era sony el que golpeaba a cher o ike el que vapuleaba a tina turner, en todo caso siempre eran los hombres quienes se ensañaban con las mujeres como dingos o alacranes, terminaban de grabar, de actuar en un estadio, de hacer el amor y sony golpeaba a cher en los camerinos o ike a tina, cuando no había clientes la mujer se acercaba a la máquina de discos y escuchaba silenciosa y triste como el gato bizco que acaricia *bye bye love* de simon y garfunkel, igual que la noche pasada el escritor de la 6, soñaba con que un día entrase art garfunkel en el local, la cogiese del brazo y le dijera: tú te vienes conmigo y ella lo seguiría encantada a nueva york a lima a tokio o al infierno a donde quiera que fuese porque estaba harta de los hombres que bebían coñac o cubalibre o whisky y seleccionaban *summertime* de sony and cher en la máquina de discos, además —añadió— me dan miedo los hombres que beben anís coñac cubalibre aguardiente, era lo que bebía su padre que desapareció cuando ella tenía quince años después de abofetear a su madre y violar a la hija, un hipocondríaco con el tatuaje de una calavera en el antebrazo izquierdo, le pido que se calle, que no me amargue el día con historias truculentas, todos tenemos biografías adversas, autobiografías salvajes, gestos erróneos, palabras falsas, personas que se hacen tatuar en el antebrazo izquierdo una calavera o una serpiente o un puñal o un corazón roto, lleno dos vasos de whisky y le ofrezco uno, me siento en el alféizar a su lado y miramos sin hablarnos la habitación el armario el mapa de parís el calendario viejo la cama deshecha donde ella murió hace más de veinte años, le pregunto el nombre del gato y se encoge de hombros, llevé una vida perra —prosigue— por esos bares oscuros hasta que lo dejó todo en 1979, le preguntó a un camionero con el que bebía una copa: adónde te diriges, él dijo el nombre de esta ciudad y ella pensó que no debía de ser un mal sitio, subió al camión con el hombre que durante el trayecto puso una cinta en la que sony&cher cantaban *summertime* y esa misma noche había sido la primera de las numerosas noches que pasó en la habitación 9 de la pensión lausana, el letrero de neón tenía entonces todas las letras —dice— y yo tenía todos mis dientes —digo— ahora del letrero sólo quedan la U y la N, de mi boca nada más que la amargura de todas las mañanas, seguramente soy un letrero que se extingue poco a poco —le digo— sonríe y le acaricio la cicatriz del brazo, ahí permanece la señal de la muerte igual que la calavera que su padre tenía tatuada en el antebrazo izquierdo, acaso su padre le haya transmitido esa herencia siniestra de la misma forma que el mío me transmitió las manos pequeñas y peludas, las manos inhábiles, ella se desnuda y yo me quedo mirando su ropa en la silla, sus prendas pasadas de moda que parecen compradas en el mercadillo de los domingos, ¿tienes sueño?, la mujer dice que no, recuerdo que cuando era joven y las mujeres no me abandonaban con tanta frecuencia y acudían puntuales a las citas y yo desayunaba café y no whisky me gustaba hacer otra vez el amor al despertarnos, era como reconocernos, certificar que existíamos en los cuerpos sudados y los cabellos revueltos y los alientos amargos pero han pasado mil años desde entonces, por las mañanas sólo aspiro a que nadie de la pensión me encuentre muerto, a abrir los ojos y observar la mancha de humedad del techo que se parece a la isla de jamaica y sueño con merlene ottey llegando segunda en las carreras olímpicas de todos los estadios del mundo, por eso me gusta merlene ottey, porque quedaba segunda o tercera y no ganaba medallas de oro y decidió acogerse a la bandera de eslovenia para correr dejando atrás la isla de jamaica, doy otro trago, pienso en mis cosas que son pocas y miserables, nada más que a eso aspiro, me siento en deuda con la mujer no sé por qué, acaso porque murió sola en esta habitación en 1980, a lo mejor mientras se desangraba canturreaba *bye bye love bye bye happiness hello loneliness* y esperaba que art garfunkel entrara en el último momento y la salvara pero art no es un héroe sino un tipo blando y pálido y desgarbado, lo más que haría sería llegar, coger su mano y dejarla morir haciendo la segunda voz de *puente sobre aguas turbulentas,* me toca ser art garfunkel así que me tumbo a su lado en la cama, nos miramos, le pregunto su nombre, ella calla como si le espantaran todos los nombres, los de los bares en los que trabajó, el del gato, el de su padre, hasta el suyo o quisiera borrar de su vida todos los nombres de los clientes que buscaron su compañía en las barras de los clubes de carretera, arrima su cuerpo al mío, mejor no le cuento nada de esto al escritor de la habitación 6, para qué, es demasiado joven, seguro que nunca oyó hablar de sony and cher ni nunca tuvo que cantar *bye bye love* ni decir *hello loneliness,* miro de nuevo a la mujer, me digo en voz baja sin saber por qué bienvenido al sanatorio internacional berghof, hans castorp, cuando ella desaparece como un día desapareció clawdia chauchat, como un día desapareció milena, como un día desaparecerán todas las letras de la pensión lausana, como un día desaparecerán mis cenizas en un fiordo noruego permanezco desnudo en la cama, escucho la lluvia que cae desde el primer piso de la pensión lausana habitación 9, un eco que parece provenir de muy lejos como si estuviese lloviendo en un fiordo de noruega, en lysefjord o en sognefjord y el sonido se arrastrase hasta aquí, la lluvia cae como alguien que se precipita al vacío desde un fiordo de noruega, desde lo alto de la torre eiffel, desde los acantilados de finisterre, desde la cima de estaca de bares, contemplo la mancha de humedad en el techo que se parece a la isla de jamaica, uno debería poder adivinar el futuro por medio de las manchas de humedad o conjurar el pasado, mejor no saber nada del futuro que es también irreparable, me miro los dedos de los pies y pienso: un hombre descalzo es un hombre muerto, recuerdo las escenas de los atentados nueva york madrid denpasar bagdag freetown, atentados terroristas en países remotos o provincias limítrofes, siempre hay una bomba esperándonos en cualquier esquina, vagón de tren o restaurante, piso o maleta, mezquita u hotel, somos sujetos que llevamos inscrita la muerte en nuestro apellido, en nuestros genes, en nuestros gestos, en nuestros antebrazos, en nuestras palabras, en nuestros ojos, en nuestros sexos, sujetos que despertamos resacosos en la habitación de una pensión que tiene una mancha de humedad similar a la isla de jamaica y escuchamos caer la lluvia, jamaica es una isla a la que no podrá dirigirse nunca el ford rojo del encargado de la pensión que oigo arrancar como un trueno o una bomba, una noche me encontré en un bar al encargado, un setentón medio borracho que se puso a hablar de tiempos mejores, yo estaba viendo la televisión, contemplaba las pruebas de natación de los 200 metros libres femeninos en atenas, veía los cuerpos irrepetibles de las nadadoras como seres de otro mundo, sentía en mi piel el frescor de las piscinas de aguas azules y el olor del cloro, imaginaba lo hermoso que sería hacer el amor con una cualquiera de aquellas mujeres, la que ganase o quedase quinta o la que llegase última a la meta, se sentó el encargado y empezó a hablar de cuando regresó de suiza y con los ahorros inauguró en enero de 1969 la pensión lausana, me aburren las personas que recuerdan el ayer irrectificable con la nostalgia de los tiempos mejores, de los buenos tiempos y olvidan que tuvieron que emigrar, que tragar miseria, que aprender otro idioma, que renunciar al fútbol de los domingos o al tabaco rubio, a las fiestas de su pueblo, así es la vida —dijo— la vida como el azar favorece siempre a los ricos, así es la vejez —pensé— se miente para sobrevivir como son mentira los cuerpos gloriosos de las nadadoras que sólo existen en las piscinas olímpicas, le invité a otra botella y entonces ni el ayer ni el presente fueron buenos tiempos, todo era una mierda, los emigrantes que paraban en la pensión como pájaros tristes, los oficinistas solitarios, las mujeres orgullosas, los yonquis intranquilos, los enfermos desahuciados que echaba a la calle como a perros para que no murieran en la pensión y la gente murmurase con asco del negocio, las putas, los camellos, las parejas que hacían el amor, algún pintor, el extranjero, los extranjeros siempre sospechosos, apostadores, locos, estudiantes, mercachifles, viajantes, homosexuales, ladrones, gente de sombra y desamparo, iluminados, ateos, anarquistas, de vez en cuando yo ojeaba la televisión, admiraba los músculos de aquellas mujeres, sus hombros anchos, sus cinturas rotundas, sus muslos incansables y nadaba con ellas en las series de clasificación de los juegos olímpicos, huía del ambiente tórrido del bar sumergiéndome en las piscinas azules que olían a cloro, ah y en la habitación que usted ocupa se cortó las venas en 1980 una mujer, nos miramos y sólo acerté a preguntarle si iba a arreglar algún día las letras fundidas del letrero, para qué —dijo— tenía razón, para qué, qué importan los nombres, los nombres de las pensiones los nombres de los bares los nombres de las mujeres los nombres de las plazas los nombres de las personas que vivieron en la lausana si al final sólo queda el brillo de la sangre que fluye cuando en la habitación 9 una mujer sin nombre coge una cuchilla de afeitar y se corta las venas en silencio, una semana me quedó a deber la muy puta —dijo el encargado— hizo un gesto al camarero, a ésta invito yo, por los buenos tiempos y vi el rastro de sangre de la suicida de la pensión esparciéndose en las aguas azules de una piscina olímpica a la que se lanzan nadadoras como tiburones que olfatean la sangre y buscan su origen con los delicados movimientos de las nadadoras olímpicas miro mis pies descalzos, sedentarios, viejos, tristes, pienso en el escritor de la habitación 6, una madrugada nos encontramos camino de la pensión y dijo *mis pies son iguales que los pies de mi padre heredamos los pies de nuestros progenitores pies de simio cavernario,* yo venía de acompañar a su pensión a aquella puta más dulce que un postre de domingo, salimos abrazados de la lausana a media noche y aunque la prudencia me aconsejaba que había que tener cuidado con los gestos y las palabras, me sentí bien pasando mi brazo por sus hombros como si ella fuera uno de los objetos que encuentro por las calles y recojo —un guante la fotografía de una adolescente una carta extraviada— que me provocan ternura y desasosiego, hacía frío como en la pensión, nos cruzamos con el camión de la basura la puta y yo, un hombre arrimaba los contenedores amarillos que se elevaban pesadamente y volcaban su contenido en el interior de la plataforma, salía un olor que en el fondo no era tan desagradable, nos quedamos mirando cómo los contenedores subían y bajaban, pensé que los habitantes de la noche —las putas el escritor de la habitación número 6 los mendigos los murciélagos los suicidas— olemos de forma diferente, yo, la mujer que me acompaña, los trabajadores del servicio de limpieza, los pobres, las ciudades que de noche huelen distinto, el camión tenía arriba un foco que giraba y ella y yo caminamos hacia su pensión después de haber hecho el amor en la 9 de la lausana, por la ventana se colaba el reflejo de las luces de las letras del letrero de neón que aún resistían, había entrado en el burdel para beber una cerveza pensando en mis cosas que son pocas y sin importancia, hace años pensar en un asunto podía ocuparme varias horas, le daba vueltas a todo, me preguntaba qué había pasado conmigo, cómo había llegado a ser un desahuciado con una miserable paga de beneficencia, dónde había fallado, si nacer había sido en efecto un error irreparable, si la vida era una enfermedad mortal o si existía algún remedio contra ella, si era posible rectificar, ahora pienso en mis asuntos levemente, mato los recuerdos con alcohol, trato de destruir la memoria, me digo que en algún lugar hay una tumba con mi nombre y que probablemente ni la ex nadadora de la habitación 2 de la pensión lausana, ni los homosexuales de la 5, ni el pintor que ocupa la 4, ni el encargado, ni siquiera radinovic el tapicero de la 7 se preocuparán de que me incineren y arrojen mis cenizas en un fiordo noruego o al contenedor de la basura o dentro de una botella de burdeos para que la beba laure manaudou en una terraza del bulevard des italiens, quizá tampoco eso sea importante, el destino final de mis restos, el destino final de la vida si en verdad es un error irreparable, un libro mal escrito, una enfermedad irreversible que nunca llega a deshora, una calavera tatuada en el antebrazo de la muerte, entré en el burdel mísero porque me gustan esos lugares que son consuelo de los afligidos y salud de los enfermos y refugio de los pecadores y causa de nuestra alegría y puerta del infierno y tienen una música también mísera, seguramente parecen escenarios de las novelas de ese selby que cita mi amigo el escritor, la iluminación siempre nocturna, dos o tres putas que contemplan el suelo —las servilletas de papel las chapas las colillas— desde la barra, una pareja conversando en una esquina, un cliente hipocondríaco con un sombrero agujereado que escribe encima de la barra nombres de mujeres y tiene en el antebrazo izquierdo el tatuaje de una calavera, carteles con imágenes de ciudades extranjeras y un san pancracio al lado de la caja registradora (eso no es selby —apunta el escritor— es pío baroja), observo a los clientes, trato de adivinar qué les empujó allí, la melancolía o la soledad, la borrachera o el olvido, el deseo o la impotencia, un día encontré al encargado de la lausana, nos miramos, fingimos no reconocernos pero cuando fui a pagar él me había invitado, observo a las mujeres, invento sus biografías adversas como la mía, pienso qué azar las arrastró hasta aquel lugar, me pregunto qué esperan de la vida, si aguardan a que un hombre las rescate como sólo sucede en los sueños y en las malas novelas de amor o que entren simon y garfunkel y les canten al oído *bye bye love*, un día tengo que venir con el escritor de la 6 que acaso nunca será famoso ni arrojará mis cenizas en parte alguna y yaceré bajo una tierra indiferente para que se inspire y escriba algo acerca de las putas que son buena gente, tiernas como un cadáver de gorrión, hablé con ella, accedió a venir conmigo hasta la lausana por un precio de vergüenza con la condición de que la acompañase al terminar, al atardecer fuimos a mi cuarto, ella contemplaba el suelo como si buscase algo que hubiese perdido en una visita anterior y yo no sabía calcular cuántos años hacía que una mujer no paseaba conmigo por la calle aceptando mis manos pequeñas y peludas, mis ojos opacos, mis ropas gastadas y todo lo demás, abrí la puerta de la 9, miró a su alrededor sin sorpresa, quizá el cuarto de su pensión fuese similar al mío, a los de millones de personas que malviven en esos espacios agobiantes y penosos —solitarios putas enfermos inmigrantes artistas— la mancha de humedad, el calendario viejo, unos muebles deteriorados, pensiones y burdeles, estaciones y puertos, parques y camiones de la basura, botellas y plazas, tascas e iglesias, todo es lo mismo, bebimos sin apenas decirnos una palabra, para qué, todo estaba claro o todo estaba dicho, fumé un cigarrillo, escuchamos los coches que al anochecer viajaban lentamente como si no supiesen orientarse, sonó entonces el eco del viento en la habitación 8 que está permanentemente cerrada, el viento se cuela por los cristales flojos de la ventana, recorre la habitación vacía y sale por el marco de la puerta como un gemido, el escritor dice que el encargado tiene allí encerrada a una persona, fantasea con una mujer loca o una hija enferma que a veces solloza de una manera insoportable, ah la imaginación de los escritores, o podría ser pacôme, el pintor de la 4, pobre pacôme, pobre jean pacôme que vino de francia y se cambió de nombre y se atrinchera en la habitación 4 de la pensión lausana y extiende los lienzos y los emborrona y adelgaza y sabe que va a morir, por eso dejé francia —comentó hace tiempo— no quiero que ningún compatriota se entere de mi muerte, se entere de mi fracaso, pobre pacôme que bebe y pinta y adelgaza y agoniza y no quiere ver sus cuadros y coge la botella de whisky y se encierra en la habitación ocho y allí bebe y llora y muere más deprisa —dice el escritor— yo sé que es el viento que entra por los cristales, se agita en el interior del cuarto y pasa por la puerta pero escucho al de la 6 como si efectivamente allí permaneciese recluida una hija enferma, la clawdia chauchat de *la montaña mágica* o una esposa desquiciada que el encargado nos oculta, en esta habitación se suicidó una mujer hace muchos años —le dije— también mi madre se suicidó hace muchos años —dijo ella— apareció colgada de un gancho de la bodega como si fuese el cadáver de un animal en una cámara frigorífica, mi padre y yo entramos y allí estaba ella meciéndose como en un columpio, desde entonces ya nada fue igual para nosotros, pensé que en aquel momento tal vez miles de personas se suicidaban simultáneamente en los cinco continentes y no pude evitar la amargura, ella se levantó, comenzó a desvestirse con cierta melancolía como si estuviera recordando a su madre que se balanceaba en el gancho o maldiciendo su mala suerte, ese azar que se ensaña siempre con los pobres, dejó la ropa en el perchero y escondió bajo la cama unos zapatos de tacón muy viejos, uno mira esos zapatos viejos y siente también tristeza como cuando piensa en los suicidas del mundo de osaka de buenos aires de sydney de lille de ginebra de túnez miles de personas tomando la misma desolada decisión al unísono, por qué razones se suicidan a la vez un estudiante de pekín y una camarera de greenville, nos quedamos desnudos frente a frente, bastante feos ambos, la verdad, ni ella tenía el cuerpo de laure manaudou ni yo el de ian torphe pero estábamos solos, empezaba a hacer frío, las letras de lausana/LAUSANA se apagaban y encendían y nosotros no nos hallábamos al borde de una piscina olímpica para conseguir una medalla sino en un cuarto de una pensión ruinosa para entregarnos el olor especial de los seres de la noche, supuse que ella me vería como a un cliente más, como el encargado cuando contraté la habitación 9 o un camarero al servirme un whisky, mejor así, tiene que ser horrible dejar memoria de uno en otras personas, por eso quiero que me incineren, para que desaparezca mi nombre de este mundo de todos los registros de este mundo de todas las necrologías de este mundo de todas las lápidas de este mundo de todas las clínicas de este mundo, mientras jodíamos pensé si al final de su vida una puta recordaría a todos los clientes con los que se acostó, si recordaría a uno solo, si por el contrario no recordaría a ninguno como posiblemente los campeones olímpicos no recuerden el rostro de ninguno de los seguidores a quienes les firmaron autógrafos, me dije que no, que aquella mujer que estaba conmigo quizá llegase a abandonar el oficio y envejeciese pero nunca se acordaría del habitante de la 9 de la lausana, mejor así, nunca se acordaría de que nos habíamos amado como dos perros tranquilos por un precio de vergüenza, como dos perros vagabundos, sólo recordaría el cadáver de su madre meciéndose en la bodega y me consoló la idea del olvido porque es justo no dejar memoria de nuestro paso por la tierra aunque radinovic el tapicero afirme que los sillones que repara conservan el recuerdo de los culos que los ocuparon, memoria del catolicismo en sillas gestatorias, de presidentes en los palacios, de espectadores en butacas de cines, de viajeros en asientos de autobuses, de clientes en sillones de peluquerías, las horas pasaron lentas como un entierro en la cama, ella me cogió una mano y dijo: tienes unas manos hermosas, pequeñas y peludas pero hermosas, aunque a veces tiemblen estas manos acarician muy bien, se ve que acariciaron a muchas mujeres, aunque no sé si fue aquella puta u otra quien dijo lo de mis manos pero pensé que acaso las manos tuviesen memoria de la caricia, que mejorasen su técnica de un cuerpo a otro, pero mis manos habían acariciado a menos mujeres de las que ella creía, habían acariciado botellas, pasamanos, barras de bares, copas, cristos oxidados de mercadillo, páginas, monedas, sombreros, el mapa de parís, incluso habían acariciado mi pene, tampoco puedo asegurar que fuese aquella puta la que comentó lo de mis manos, tal vez haya sido otra, nos vestimos, bebimos un trago y le pagué, me habría gustado ser rico, darle el doble de lo pactado, recompensarla por la melancolía de haber compartido su cuerpo con un tipo calvo, borracho, con dentadura postiza, que folló en silencio como un monje de clausura y no se parecía en nada a phelps, salimos a la calle, hacía frío y no sé por qué posé mi brazo en sus hombros que no eran los hombros firmes de franziska van almsick pero no importaba, tampoco mi brazo era el brazo poderoso de pieter van den hoogenband ni la ciudad una piscina olímpica de aguas azules ni representábamos a ningún país a no ser que la noche fuese un país habitado por seres que huelen de forma diferente, un país como debieran ser todos los países, sin banderas, sin himnos, sin fronteras, sin religión, sin constituciones, sin parlamento, entonces apareció el camión de la basura y yo pensé que todo estaba bien, que todo estaba en orden, que aquellas horas habían sido perfectas aunque algún día no fuese capaz de recordarlas ni a la mujer que se pegaba a mí y metía una mano en el bolsillo trasero de mi pantalón, parecíamos un matrimonio de vacaciones que contempla el mar y adivina lo que está pensando el otro sin necesidad de hablarse y no me desagradó esa imagen mientras dejábamos atrás el camión de la basura que olía a alimentos caducados y tapias meadas y libros rotos y órganos descompuestos, a lo que en realidad huele la vida, no es desagradable ese olor, no es desagradable oler la vida, acariciarla con mis manos, recorrerla con mis pies, mis manos pequeñas y peludas, mis pies deformes que jamás batirán ningún récord olímpico, porque ni mis manos ni mis pies son como los de pieter van den hoogenband, yo atravesaré la piscina de la vida perdiendo todas las competiciones como eric moussambani en sydney 2000 1:52:72 en los 100 metros libres o tal vez haga peor marca o no llegue nunca a tocar la pared, a veces uno se lanza a la piscina, comienza a bracear y cuando yergue la cabeza ve una isla al fondo aunque eso no me importaba mucho aquella noche al lado de una mujer sin patria, sin estudios, sin fortuna, viajera como yo de un tren siniestrado, de un tren reventado con bombas y que olía conmigo el camión de la basura y no sentía asco porque pensaba que todo lo que ocurre tiene que ocurrir en su oficio, los besos, la soledad, la violencia, cuando un hombre como yo entra en un burdel meditando en sus asuntos que son pocos y miserables, la acompaña hasta su pensión y ella se mete en la cama esperando el amanecer y tararea muy bajito *bye bye love bye bye happiness* recuerda a su madre muerta mientras yo regreso hacia la lausana

me quito los zapatos y paseo descalzo por la acera, es hermoso sentir el frío en las plantas de los pies, se percibe el mundo de otro modo, el trepidar de la tierra, las convulsiones del universo, la proximidad de las tumbas, en el camino me encuentro con el escritor de la habitación 6 que mira sorprendido mis pies y dice que los suyos son iguales que los de su padre, que heredamos los pies de nuestros progenitores, pies de simio o algo así —dice— se descalza, me enseña los pies como si fuesen muñones o vergonzosos estigmas o pies de un reo crucificado, añade que él con sus pies no ha hecho grandes cosas en la vida *he andado poco y por superficies bien poco memorables*, ése es el resumen de cualquier biografía, no te aflijas por ello —le digo— andamos poco y por lugares tristes, creemos caminar por una playa y en realidad pisamos vidrios rotos, creemos caminar por la vida pero estamos caminando por la muerte —insiste— yo lo contradigo: estás equivocado, estás equivocado, no heredamos los pies de nuestros progenitores, heredamos los pies de la muerte, mira mis pies, pies de crucificado, pies de preso, pies de penitente, pies de pastor etíope que después gana los 10.000 metros en unos juegos olímpicos, pies de momia egipcia, intentamos no reeditar los errores del padre y al cabo heredas sus pies, sus manos, su culo, sus mejillas y entonces alguien te dice: eres igual que tu padre y sabes fatalmente que envejeciste, que repites un código anterior a ti, que un hombre envejece cuando alguien pronuncia la frase concluyente: cómo te pareces a tu padre, eso es lo que hacemos en la vida, seguir el camino del padre, el escritor de la 6 y yo nos quedamos tan abatidos que me vi en la obligación de consolarlo, oye, entremos en un bar para beber algo y continuar charlando, cuando bebo —le digo— no pienso en la muerte, cuando bebo —le digo— soy inmortal, él dijo que no, que tenía que escribir para ganar dinero y rescatar a sus padres del piso inhóspito en el que malvivían, que si no escribía era un hombre muerto igual que un hombre descalzo, que a cada cual la vida le asigna un destino, escultor, marchante, pordiosero, actor, electricista, verdugo, cualquier destino —dice— y aquel que no cumple con pasión su destino es un fantasma, una persona muerta, aunque ese destino sea el de atracar en una esquina a alguien con destino de víctima, aunque bebiese no sería inmortal, los alcoholes inmortales son cosa del catolicismo y yo soy ateo —sonríe— esa noche yo no tenía sueño porque duermo poco y me sobresalto, un médico me recetó noctamid pero prefiero apurar un par de tragos y relajarme, dormir me da miedo, pienso que moriré mientras duermo y me avergüenza que alguien entre en mi cuarto —la ex nadadora los homosexuales el pintor el encargado el tapicero el escritor— y encuentren mi cadáver al pie del mapa de parís o cara al techo como si contemplase por última vez la mancha de humedad que se parece a la isla de jamaica, la patria de merlene ottey, las pastillas se las regalé al escritor que también padece insomnio y se pasa las noches escribiendo mientras escucha a lou reed *a hustle here and a hustle there* en mi habitación recogí las botellas vacías, catorce cascos de whisky, de vino, de cerveza, algunos mosquitos vuelan alrededor de sus bocas, las botellas vacías son inútiles como cajones vacíos, como féretros vacíos, como estaciones y muelles vacíos, como bocas vacías, como ojos vacíos, las metí en dos bolsas y me acerqué hasta el contenedor del vidrio, fui echándolas una a una, tratando de recordar qué había pensado mientras las vaciaba, estaría en mi cuarto esperando a alguna mujer, mirando la mancha de humedad o contemplándome desnudo en el espejo, a mi edad hay ciertas cosas que no deberían hacerse nunca como mirarse desnudo en un espejo, entran los reflejos de la luz del letrero al que le faltan tres letras, todo se extingue, las vocales y las consonantes agonizan de soledad en los letreros de neón como dientes que se les caen a las palabras, me contemplo y veo el pelo que ralea en mi cabeza, los hombros vencidos, los pechos que flojean, la cintura perdida en pensiones y alcoholes y algún que otro exceso de épocas irrepetibles, la barriga y la vergüenza de que no haya sido el tiempo sino mi innato talento para joderlo todo quien creó esa basura, el sexo se retrae como una alimaña cobarde en la boca de la madriguera, los muslos se mantienen más o menos firmes, será de tanto andar, de recorrer las calles y los barrios detrás de mujeres, de ir de bar en bar, de patear los suburbios allá en el extrarradio de todas las ciudades para buscar pensiones distantes y baratas, así se incumple lo previsto en mi horóscopo la tendencia a engordar se puede dar a lo largo de este año sobre todo en los meses de otoño, rectifico al escritor de la 6: no me dio dios otra cosa que este cuerpo, malditos sean ambos, mi cuerpo y dios, agradezco a mis piernas haber sobrevivido después de tanta ruta sin norte y sin destino, miro mis pies deformes, mis pies de momia, mis pies de penitente, mis pies de pastor etíope que jamás vencerá en unos juegos olímpicos, mis pies de reo, mis pies de crucificado, las uñas que establecen una ferocidad de garras de leopardo, ah este naufragio de pieles y huesos de grasas y arrugas prematuras, este decaimiento que vive en un espejo como un genio feroz dentro de una de las botellas que arrojo al contenedor del vidrio, a mí no me dio dios otra cosa que este cuerpo, estoy empezando a pudrirme, a oler a viejo, como esos ancianos que encuentro en mis paseos desorientados como si no supieran qué hacer en la vida y posasen lentamente sus pies en el suelo tratando de dar con la grieta fatal que les permita hundirse en la muerte, yo no quiero llegar hasta ese punto, vivir pese a que todo —la edad la salud los horóscopos la voluntad— apuesta por la muerte, puta muerte que con frecuencia se aferra a los jóvenes cuerpos y rehúye incansable al que la reclama, ya ni siquiera emborrachándome me creo inmortal, las cosas a cierta edad ya no son como antes, de cualquier forma agradezco la compañía del alcohol en las noches solitarias, en las largas tardes de invierno, en las grises mañanas de mi vida aguardando un torcido porvenir que siempre se extinguía en el peor momento, el letrero de la pensión era la dentadura de un nonagenario que va perdiendo una pieza tras otra, catorce botellas, catorce estaciones del vía crucis hasta llegar a la última, el cristo crucificado en óxido que compré en el mercadillo, botellas baratas de supermercado consumidas mientras el tiempo pasaba, gemía en la 8 el viento que suena como un quejido, el lamento de un anciano que reclama la muerte o el de alguien que se espanta al verle los ojos a la maldita muerte, el alarido de un pintor alcohólico que intenta un autorretrato y descubre el perfil de una máscara mortuoria que otra mano invisible trazó por él, pobre pacôme que pinta y se emborracha en la 4 de la pensión y cuando contempla el lienzo sólo ve un porvenir enemigo, una calavera tatuada en su frente y huye a la habitación 8 para beber adelgazar gemir como el viento salvaje del oeste, el grito desolado de la puta cuando encontró a su madre colgada del gancho de la bodega y su padre trató en vano de taparle los ojos, como si la muerte no existiese si no la miramos

yo contemplaba la mesa de noche la pileta el perchero el calendario el tiesto en el alféizar el mapa de parís el armario mi sombra que se despide de mí y dice: voy a beber una botella de burdeos a la terraza de la fermette marbeuf, en la rue marbeuf de parís, le digo que eso es imposible, que es un lugar muy caro y mi sombra casi indigente, ella responde que conoce a pascal chereau, el director, que a veces la invita a una botella aunque si la terraza está llena de clientes pascal le pide que se marche a beber a la cocina porque el aspecto de mi sombra desprestigia la reputación de un local tan elitista, a mi sombra le importa un carajo dónde beba, lo que quiere es estar en parís, emborracharse un poco, creerse inmortal mientras bebe, recorrer las terrazas los puentes los barrios los cementerios las iglesias los patios los muelles las calles de parís, mi sombra no es sedentaria como su dueño que últimamente vació 14 botellas sin salir de la 9 de la pensión lausana que no es luminosa como una terraza de parís y no me extraña que cristo crucificado cuelgue de la pared de esta habitación que es la última estación del vía crucis porque yo soy el judas que lo ha traicionado, soy judas dertod, monsieur chereau se acerca a la cocina, educadamente me pide por favor que salga del establecimiento porque el personal apenas trabaja mientras escucha las historias que le cuento, que en los juegos olímpicos de parís en 1900 las competiciones de natación se celebraron en las aguas del sena, c'est pas posible, pero yo insisto: así fue, los nadadores se deslizaban por la superficie de un río en cuyo fondo había algas, peces, objetos herrumbrosos, posiblemente algún cadáver, pasaban debajo de los puentes atestados de público pero debieron de ser unas pruebas aburridas porque no había nadadoras, sólo participaron hombres, no existían aún janet evans ni laure manaudou ni franziska van almsick y los espectadores no podían soñar con hacer el amor con las nadadoras de cuerpos perfectos, llegar a sus casas y acostarse con sus mujeres imaginando que abrazaban el cuerpo de alguna nadadora, pascal insiste en que me vaya y yo desaparezco, au revoir, monsieur chereau, à bientôt, en una calleja de village st paul milena y franz contemplan el escaparate de una librería donde hay varios ejemplares de una novela titulada *la mémoire de l'oubli,* la pareja ignora lo que el destino les tiene dispuesto en un futuro ya cumplido, ya pasado, tal vez en un porvenir irrectificable, a la puerta de la librería un negro de enorme estatura silba una canción, cuando milena y franz reanudan la marcha el negro grande como la sombra de la muerte camina tras ellos sin dejar de silbar y el eco queda en el aire como el lento descenso de la hoja que cae de un árbol en otoño, lamento abandonar el calor de la cocina y regresar a la pensión, me gusta pasear por parís, desoír los consejos de mi horóscopo que dice cuidado con los viajes largos pueden alterar tu estado anímico si no controlas las comidas que no sabes qué contienen, me gusta mirar el río desde sus puentes, a veces me tienta la idea de arrojarme al agua, de poner fin a mi soledad, a este cuerpo cada día más viejo, cada día más cansado, pienso entonces en las nadadoras que se zambullen en las piscinas olímpicas y aparto de mí la ruinosa idea de lanzarme desde un puente de parís, uno no viaja para suicidarse sino para sobrevivir, para suicidarse están las habitaciones impares de las pensiones baratas, por eso en 1980 una mujer se abrió las venas en la 9 de la lausana

bajo las botellas a la calle, disfruto con el clonc de los cascos vacíos cuando caen en el contenedor, botellas de whisky, de cerveza, de vino, de aguardiente que consumí tumbado en la cama mientras fumaba y hojeaba algún libro de los que me prestó el escritor de la 6 y esperaba a alguna mujer que no llegaba nunca, depositar las botellas ahí es como arrojar un mensaje al océano para un destinatario inexistente o para alguien que vive muy lejos, en la isla de jamaica, en un fiordo noruego, en un cantil de finisterre, en la playa de las catedrales de lugo, a veces pienso que bebo únicamente para poder tirar los cascos vacíos al contenedor y escuchar ese clonc que es como un portazo a una parte de mi vida, no sólo para sentirme inmortal, después entré en una tienda de 24 horas y compré una botella de vino para disfrutar del futuro placer de tirarla en el depósito con un gesto delicado, con toda la ternura que me queda en las manos pequeñas, peludas, inhábiles y ociosas que no es mucha, entro en mi habitación, comienzo a beber y a primera hora de la mañana se acerca hasta el cuarto el escritor, me duele la cabeza, estoy a medio vestir cuando él llega, repasa los títulos de los libros que me regaló y otros que me fue prestando, hubo un tiempo en el que permanecía en las pensiones leyendo y los libros eran un consuelo para mi soledad, ahora apenas los abro porque son mentira, como los gestos, como las palabras, como los cuerpos de las nadadoras, como las terrazas de parís, como los números de teléfono anotados en mi agenda, bebo demasiado y no soy inmortal, sigue en mi mesa de noche *fragmenta* al lado de la botella de vino casi vacía, esos libros son ahora objetos sin valor, señales del tiempo como la mancha de humedad del cielo raso, me acompañaron entre paredes de pensiones con nombres baratos (la estrella viuda de gutiérrez la fonda del parque lausana) me dejé la vida en pensiones humildes —le digo— pero ni en los peores momentos me vine abajo, tal vez me quede un poco de dignidad o de decencia como me queda un poco de ternura en las manos, el escritor riega el geranio, luego se sienta en la cama y me dice que esa noche ha estado pensando en mí, recordando una conversación que mantuvimos tiempo atrás en la que le conté que había malgastado mi vida en bares, en pensiones, en bancos, en cines, aguardando a mujeres que no llegaban nunca, lo mismo que le conté a radinovic hace días, jamás he olvidado esa conversación —dice— en la que citaba futuros inexistentes y botellas y crepúsculos y servilletas de papel, y qué —le pregunto— desdobla un folio, dice que ha escrito un poema acerca de eso y me lo da, léelo, tiene una dedicatoria: al hombre de la 9 de la pensión lausana, acabo de un trago la botella de vino, leo en voz baja

No me dio Dios otra cosa que tu cuerpo otro
sexo que tu sexo otro nombre que el tuyo
otras paredes que las de una pensión de medio pelo
hasta la habitación llega la luz
del letrero de neón se encienden
las letras LAUSANA se apagan lausana
y velan tu cuerpo desnudo que Dios me dio
sin saber que se había equivocado
al repartir las dádivas de su mano generosa
que no me correspondía esta piel que ahora se enciende
[LAU
SANA mientras la beso sabiendo que no me pertenece
que me será arrebatada cuando definitivamente las luces
del letrero se apaguen al amanecer lausana

pero mientras brillan en medio de la noche
tranquila acepto el error del destino Dios abrirá los ojos
algún día y entenderá que me ha asignado
un regalo inmerecido un regalo de otro
apagará el letrero de la pensión LAUSANA
y entonces se borrará la mujer que me ha sido entregada
en un descuido a veces el azar nos provee
de esa suerte no buscada pero siempre hay un momento
en el que el neón se funde lausana
despiertas y encuentras en el suelo a medio abrir
un libro y un poema y lees el primer verso:
No me dio Dios otra cosa que tu cuerpo

termino de leer en silencio, le digo que me gusta, que me gusta mucho, que es un gran escritor y un día publicará un libro con ese poema, la gente se preguntará quién demonios será el hombre de la 9 de la pensión lausana y mi memoria durará hasta que alguien deje de releer el poema que me dedicó aunque no me atrae la idea de perdurar en otras vidas, en otros destinos o en otros recuerdos, a mi edad sólo aspiro al olvido, a no dejar rastro de mí en memoria alguna ni siquiera en la memoria del olvido, por eso quiero que me incineren, él asegura que el olvido es una forma de inmortalidad, la última forma decente de inmortalidad es el olvido —dice— agradece mis palabras, acepta un whisky que le sirvo en el vaso con el que regó el geranio en un cuarto de una pensión de medio pelo, pienso en los padres del escritor a los que telefonea todas las semanas, tendrán un hijo famoso —le digo— un piso adecuado, irás a buscarlos en un audi 100 conducido por un chófer negro llamado baltasar que mide 1,99, no te olvides de pasar por noruega y arrojar mis cenizas a un fiordo, en geiranderfjord o fjaerlandfjord, cuando vayas a recoger el premio nobel, no te preocupes —dice— lo haré, amaga una sonrisa, imagino a una muchacha que lee el futuro libro del de la 6, que recita a media voz en un parque o en una biblioteca, en un tren nocturno, en los soportales de una plaza, en una playa solitaria, en una taberna inhóspita: no me dio dios otra cosa que tu cuerpo y piensa en quién podrá ser el hombre de la 9, tal vez venga a la pensión, hable con el encargado y éste le comente era un pobre borracho que murió hace tiempo, quiso que sus cenizas se esparcieran en noruega, imagínese si estaría loco, en noruega, quién va a viajar a noruega con una urna y tirar las cenizas al mar, acaso le muestre él las cenizas que conservará sin saber qué hacer con ellas y la muchacha le pida que se las entregue, que ella se hará cargo, que viajará a noruega y las arrojará según mis deseos y tal vez lo cumpla, quizá viaje a noruega y en tanto las esparce en naoeroyfjord recite el poema que me dedicó el escritor de la 6 y las cenizas vuelen hasta nouakchott, lo mismo que flotaba en el aire la melodía que el negro silbaba en village st paul caminando detrás de franz y de milena, e incrementen el tamaño de una duna, modifiquen la geografía de mauritania que sería un modo extraño de ser inmortal bajo las pezuñas de los dromedarios, a veces el azar nos provee de esa suerte no buscada, la vida es así de sorprendente en ocasiones o tal vez la chica viaje a causa de su trabajo y me lleve con ella a lisboa, a toronto, a huesca, y yo deje de ser un sedentario, lejos por fin de esta tierra tan hostil, el escritor me pregunta en qué pienso, en lo famoso que vas a ser —contesto— y relleno los dos vasos

pasa el tiempo a nuestro alrededor como si fuese un objeto más de la habitación 9, algo que pueda tocarse igual que el cristo el armario de espejo el mapa el geranio la mancha de humedad o la cicatriz de la suicida de 1980, los dos estamos tristes y borrachos, el escritor dice que no sería mala idea viajar a parís, tengo ganas de conocer sus cementerios, relleno los vasos de whisky y le digo por qué no, cualquier lugar es mejor que el lugar que uno habita, joyce vivió en parís —dice— recorreré los lugares que él recorrió, te acompaño —le digo— te acompaño a parís, tú persigues el fantasma de joyce y yo buscaré a una mujer que tal vez no pase de largo ni me hable de futuros inexistentes y acepte quedarse conmigo las noches de tormenta, el de la 6 dice que ya está harto de andar poco y por superficies poco memorables, desdoblo la hoja de periódico que contiene mi horóscopo, le comento que este viaje estaba previsto en mi destino, escucha: la enorme creatividad e imaginación con que contarás en este nuevo año te darán la oportunidad de hacer planes dentro de tu mundo profesional que de llevarse a efecto tendrán un éxito garantizado los viajes y la educación serán puntos muy importantes para la consecución de tus proyectos, así que marchamos a parís, él para perseguir el fantasma de joyce y yo porque estoy harto de aguardarte en una pensión ruinosa, harto de consumir mi vida esperando a mujeres que no llegan jamás, de esperar milagros porque los milagros nunca se dan en las pensiones malolientes, me lo anunciaba el horóscopo: dedica un tiempo al estudio de algún idioma porque te va a hacer falta para este año ya que las ansias de conocer nuevos sitios y países serán muy importantes en este naciente período, le muestro al de la 6 la hoja del periódico con las predicciones astrológicas para mi signo del zodíaco, nos acercamos al cementerio de père lachaise, amo los cementerios, amo los cementerios los mercados las estaciones las tascas los muelles los puertos los puentes los cuerpos exactos de las nadadoras, amo las mujeres que no llegan nunca, paseamos entre tumbas, osarios, mausoleos, árboles, parterres, no creo que encuentre aquí a la mujer que busco ni el escritor el espíritu de joyce, hay una pareja haciendo el amor cerca de la tumba de jim morrison, apenas se sobresalta al vernos, vamos leyendo los nombres de las lápidas philippe edouard silvie isabelle jean yaroslav paul aziz marguerite ana mizuki gustave edith jean-paul guillaume apollinaire el tosco monolito de su tumba, hola, guillaume —dice el escritor— donde quiera que estés no hay días tristes, lunes aburridos o domingos tediosos, la eternidad es un caligrama infinito, no entiendo al escritor pero él, como radinovic, sabe muchas cosas de la vida y de los libros, es joven y sabio, yo no, yo soy viejo y sin embargo paso por la vida como paso por las tabernas o los andenes o los puentes, dejándome ir, mi vida corre por los desagües de las pensiones baratas, a mi edad uno padece la vida, nos detenemos ante una lápida de pórfido con una estrella de cinco puntas, franz dertod juif 1920-1944 tué par les allemands, no tuviste una larga vida, franz dertod, y seguro que acabó contigo una triste muerte como la de la suicida de la 9 de la pensión lausana, un disparo en la nuca —inventa el escritor— un suicidio al ver cómo entraban en parís aquellos lobos sanguinarios —añade— yo escribiré tu historia, franz, una historia que titularé *la memoria del olvido* y que comenzará así: me llamo franz dertod y estoy muerto, tendrás nuevamente una novia a la que amabas más que a tu patria, en 1944 todo el mundo estaba loco y prefería las patrias a las personas, por eso el siglo XX fue un siglo depravado, vas a su encuentro al atardecer, sólo deseas estar con ella, es lo que te reprochan los amigos, los familiares, los compañeros de trabajo, que los alemanes ocupen las tierras de francia, las tierras de europa, y tú no pienses más que en milena, en que no hay nada más azul que el azul de sus ojos y le escribas cartas en vez de combatir, caminas por ledru-rollin con las primeras sombras de una tarde casi clandestina, cuando abres la puerta del piso de milena ves como en una pesadilla a dos soldados alemanes bajo el mando de un sargento negro de dos metros de altura que silba una melodía muy popular en aquellos años, te sientan en una silla, desnudan a milena y la violan, los tres actúan meticulosamente, como si mientras tú recorrías las calles ellos hubiesen estado ensayando y no fuese ésa la primera vez que la violaban, como si el oficio de soldado llevase implícito el de violador de mujeres, de patrias, de futuros, milena permanece en silencio y eso hace más doloroso el acto brutal, que llore, que se lamente como el viento en la habitación 8 de la pensión lausana, que grite, que se rebele, que no crea que sus veinte años en el mundo son un sumiso destino de violada por bestias con uniforme, primero el sargento y después los otros dos que parecen actuar sin odio ni deseo, por disciplina, por imitación, sin proferir palabra alguna, como si temieran al negrazo enorme y obraran por sumisión, te gustaría que se rompiera el silencio, que sonara una ametralladora, un tranvía, una canción de edith piaf *le ciel bleu sur nous peut s'effondrer* la sirena de un barco, el llanto de un niño, el trino de un pájaro, cierras los ojos, franz, repites fragmentos de oraciones en dos idiomas, maldices tu patria perseguida, cuando cae la noche parís agoniza sobre el cuerpo de milena y el sargento se gira hacia ti, apunta con la pistola, mira para otro lado, aprieta el gatillo y estás muerto, franz dertod 1920-1944 juif tué par les allemands, los tres soldados bajan las escaleras, ahora sí, milena llora y el sonido es como el viento que se arremolina en la habitación 8 de la pensión lausana, a lo mejor en aquella habitación que nunca abre el encargado permanece milena, una milena infeliz y desquiciada que revive día tras día el horror de una tarde de 1944, a veces el recuerdo resulta tan doloroso que llora y es como si el viento se agitara en la 8 de la pensión lausana, el escritor dice vamos a buscar a milena, recorreremos hasta el último rincón de parís y cuando demos con ella le diremos que franz aún la recuerda, que aún la ama, que ni los nazis ni el tiempo ni la muerte la borraron de su memoria, que para franz sigue sin haber nada tan azul como el azul de los ojos de milena, el de la 6 insiste: ayúdame a buscarla, amigo, tienes una larga experiencia en buscar a mujeres que no aparecen nunca, en esperar a mujeres que jamás llegan o si llegan dicen aquello de los futuros inexistentes y siguen de largo, acepto, qué otra cosa se puede hacer en un parís borracho más que perseguir a mujeres que como los futuros no existen, los escritores son así, para ellos el viento que suena en un cuarto vacío es el lamento de una mujer, las escaleras abismos, creen que la verdad y la vida están en los libros como yo creo que están en las botellas que vacío y arrojo al contenedor, abandonamos el cementerio porque no habita allí el fantasma de joyce ni la mujer que buscamos y que no pasará de largo como pasa mi vida por los desagües de las pensiones baratas, desde la plaza de la república descendemos hacia el marais por temple itineraire pratique de l'etranger dans paris, eso somos el de la 6 y yo, extranjeros desorientados en parís, en la pensión lausana, en los calendarios, en la memoria, en el olvido, en el mundo, ningún plano sirve para situarnos porque las letras de los planos buscan la soledad de las vocales y de las consonantes, la solitude des voyelles, y se descomponen los nombres de los barrios, de los monumentos, de las calles, entramos en el café l'amnesia, pedimos una botella de vino blanco, turistas, homosexuales, jóvenes de cuerpos esbeltos como atletas olímpicos, me siento más viejo que de costumbre —le digo al escritor— más viejo con mi dentadura postiza, mis dolores de espalda, mis quejosas vértebras, contemplo a la gente que pasa delante del bar pero no aparece milena para decirle: llévale flores a la tumba de franz, pacôme ha instalado en la calle un caballete, atraviesa el lienzo con brochazos furiosos, a veces le da un trago a la botella de whisky, se detiene a mirar el suelo o sus pies enormes, sus pies de simio cavernario, de pastor etíope que camina lentamente hacia una muerte que lo aguarda en la esquina de un 26 de octubre, después continúa con su trabajo, pobre pacôme, amontona colores sobre la tela y bebe y adelgaza y grita voy a vencer esta mierda de enfermedad con pinceladas y brochazos —dice— bebe y llora hasta que arma en el lienzo un rostro desencajado, quizá como el de franz dertod cuando asistía a la violación de milena, pacôme gira el cuadro hacia los transeúntes, dice cincuenta euros, por cincuenta euros pueden llevarse mi vida, redimirme de mi enfermedad, sólo cincuenta euros, vacía la botella que bebe sin conseguir la inmortalidad, pone el cuadro en el suelo y se acuesta encima, detrás de nosotros alguien habla de los drusos, secta herética musulmana con ritos iniciáticos propios, dice el escritor que de pronto parece viejo y sabio como radinovic, como si bebiera el aguardiente de radinovic y el alcohol le transmitiera la inmortalidad y la sabiduría, fue el loco al-hakim quien fundó esa secta en el siglo XI, yo pienso que las religiones siempre las fundan los locos, los extravagantes como al-hakim que creen estar en comunicación directa con alá o los oscuros hijos de los carpinteros que creen estar en comunicación directa con dios, con el majestuoso silencio divino, los drusos confían en la reencarnación, si llevaron una vida de pecado se reencarnarán en perros o en camellos que trotarán por siria, por egipto, por líbano como animales penitentes, si actuaron conforme a la religión se reencarnarán en seres humanos que es una perversa forma de castigo, reeditar la existencia convertido en otra persona, no poder desaparecer nunca, ser inmigrante en otros cuerpos, la reencarnación suministra la inmortalidad que el alcohol no nos otorga ni a pacôme ni a mí, yo soy druso soy español soy francés soy chií soy apátrida soy judas vendiendo a cristo por tres euros soy franz dertod el judío asesinado soy baltasar el nazi negro y gigante que violó a milena y mató a franz dertod y que se reencarnará como los drusos para convertirse en el chófer del audi con el que el escritor rescatará a sus padres de la miseria soy un nadador con malas marcas cuya patria son las piscinas del mundo soy el borracho de la 9 de la pensión lausana que aguarda a una mujer que no vendrá nunca en el café l'amnesia de parís bebiendo vino con un escritor desafortunado, le digo al de la 6 que me gustaría quedarme a vivir en esta ciudad, en este café de hermoso nombre, amnesia, para olvidar, olvidar quién soy olvidar mi nombre mi patria mi identidad como si un hipnotizador borrase de repente mi memoria hasta la memoria del olvido y me hiciese creer que soy quien él desee franz dertod al-hakim cristo judas ian torphe estableciendo un récord mundial en una piscina de sydney, ya ves, milena, te esperé en la pensión lausana y ahora te busco en parís, atravieso europa persiguiéndote, europa es una pensión barata, se le caen las letras que componen su nombre, busco tu cuerpo delgado, milena, tus ojos transparentes como la piscina donde laure manaudou gana medallas olímpicas, salimos del café, nos perdemos por las callejas de village st paul, están rodando una película en la que una mujer huye perseguida por un hombre con una pistola en la mano, como milena huyendo eternamente del nazi negro baltasar, yo recorreré buscándote todos los arrondisements de parís, todos sus quartiers, beberemos una botella en cada quartier, iremos a morir a père lachaise, a la tumba de franz dertod 1920-1944, el escritor y yo nos orientamos al pie de la torre st jacques, por quai de louvre atravesamos pont des arts, ¿encontraremos a milena?, pregunta el escritor, contemplamos el río, los barcos, algunos pescadores en la orilla, en estas aguas —le digo— se celebraron las pruebas de natación de los juegos olímpicos de 1900, él comenta que en una miserable pensión de parís, ese mismo año, moría oscar wilde cuya tumba fuimos incapaces de hallar en el cementerio, miramos las agujas de nôtre dame

ah milena
mi nôtre dame de los ojos azules ampárame
mi nôtre dame de los hombros delgados abrázame
mi nôtre dame de los cabellos rubios protégeme
mi nôtre dame de las tetas pequeñas acógeme
mi nôtre dame de sexo dulce recíbeme
mi nôtre dame aux grands yeux déjame profanarte
mi nôtre dame del pueblo judío
mi nôtre dame de los campos de exterminio
mi nôtre dame de los campos de concentración
mi nôtre dame de la travesía del desierto
mi nôtre dame de los circuncidados

déjame ganar el infierno a través de la herejía como los drusos, como radinovic que asegura que la virgen maría se casó en una ceremonia secreta con herodes antípater y que éste es el verdadero padre de jesús, he visto —dijo entonces— demasiadas guerras como para creer en pájaros milagrosos, en el sprikto sanz, así pronuncia radinovic el nombre del espíritu santo, radi, eres un hereje, terminarás en el infierno que será el escenario último de una guerra definitiva y devastadora, el tapicero contesta sonriendo que a él ya no le asustan las trompetas de jericó, que a él sólo le acojona perder sus dientes postizos, eso sí que es grave y no pudrirme en el puto infierno —afirma— donde repararé el sillón en el que asienta su culo el demonio, recorremos el boulevard st germain, en la terraza acristalada de un café vemos a laure manaudou que bebe una copa de burdeos, sé que dentro están mis cenizas, gracias, laure, gracias por vaciar mis cenizas en tu copa, alzarla con esas manos firmes en cuyas uñas dibujaste diez banderas de francia, gracias por beberme y permitir que mis restos se fundan con tu sangre porque seguramente nadie los arrojará a un fiordo noruego, salud, laure manaudou, el cielo de parís tiene el color de los ojos de milena, el color de las piscinas en las que laure gana medallas olímpicas, nos sentamos en quai de grenelle que debe de ser el sitio de parís donde descansan los hombres que buscan a una mujer porque se nos acerca uno con una botella y nos pregunta si hemos visto a una tal claire, el escritor le responde que no, el hombre dice que lleva mucho tiempo buscándola, que ha recorrido francia entera buscándola, se le ve abatido, seguramente tiene una pésima marca en los 1.500 metros libres, como yo, nos doblan siempre nadadores más veloces, más altos, más musculosos, más jóvenes, más decididos, que encuentran antes a las mujeres que nosotros perseguimos —le explico— él dice veo que me entiende, nos alarga la botella y le damos un trago al beaujolais consolador, voy a seguir buscando —anuncia— dirige sus pasos hacia rémusal cuando atardece, enciendo un cigarrillo, el escritor y yo miramos las aguas en silencio, como si contempläsemos los fantasmas de los nadadores olímpicos de 1900 pasar delante de nosotros, me pregunto qué se preguntará la gente cuando ve a dos hombres silenciosos mirando las aguas de un río, debe de ser un espectáculo tan triste como algunas pruebas clasificatorias de natación en las que sólo compiten dos rivales y que agigantan la soledad de las piscinas como si fuesen océanos en los que se ve una isla remota en el horizonte, deambulamos por garibaldi, atravesamos vaugirard, el cementerio de montparnasse está cerrado, el de la 6 lo lamenta porque quería visitar las tumbas de algunos escritores, ya volveremos —lo consuelo— parís siempre está a mano, también a mí me habría gustado entrar —le digo— porque a veces las mujeres que perseguimos se ocultan tras un seto de mirtos o el tronco de un ciprés que tiene fechas y nombres grabados, él sonríe, comenta que nunca encontraremos a milena, que nadie llevará flores a la tumba de franz dertod que seguramente era un judío escuálido con un sombrero viejo como el que compraste en el mercadillo, me temo que nunca encontraremos a nuestra señora de los ojos azules como piscinas olímpicas, la patria, como las mujeres que esperas, siempre está en otro lugar, el escritor y yo regresamos compungidos a la pensión lausana donde tampoco aparece el fantasma de joyce ni tú, nôtre dame aux grands yeux, abro una botella de vino para confortarnos después de tanto vagabundear por parís, no es cierto eso de que no me dio dios otra cosa que tu cuerpo, maldita mentira, dios sólo me dio piscinas vacías, piscinas con hojarasca y salamandras, el de la 6 alza su vaso, por la memoria del olvido —dice— yo alzo el mío, digo: por la soledad de las vocales

cuando se marcha enciendo un cigarrillo, percibo el dolor de mi cuerpo como todas las mañanas, el dolor de sentirme vivo, es amargo sentir que te duele cada órgano de tu cuerpo como si hubieras dormido en una mala postura, la vida es una mala postura continua, me levanto, camino hacia el taller de radinovic, el tapicero serbio que ocupa la habitación 7 de la pensión lausana, está trajinando con muebles viejos, mesas que hay que reparar para que sigan cumpliendo su función y los dueños se sienten en torno a ellas, coman mirándose a los ojos con el hastío de estar nuevamente congregados allí, el bargueño que conservó cartas o testamentos o fotografías, sillones en cuyos asientos descansaron sus culos iguales varias generaciones, abuelos que no habían oído hablar de ecología, padres que asisten a un mundo que no comprenden y legan a sus hijos que sentados en ese sillón maldecirán la herencia irrectificable —el culo las manos los pies el mundo— radinovic me invita a entrar, saca una frasca de aguardiente, habla de serbia, de bombardeos, de javier solana, de la soberanía de croacia, de milosevic, de dubrovnik sobre la que cayeron más de 2.000 proyectiles y cuya belleza fue mutilada como el cuerpo de una mujer arrasado por un cáncer —dice— pienso en milena, violada por los alemanes en ledru-rollin, creo que está a punto de llorar, maldito otoño de 1991, los desperfectos de una guerra son irreparables, los sillones pueden arreglarse, los muertos sólo descomponerse, no entiendo nada de esa guerra que cita pero me defiendo: radinovic, amigo, soy apátrida, tuve un pasaporte y una patria pero ya no, mi patria ahora es la suya, la pensión lausana, mi patria es el lugar en el que bebo, mi patria es el alcohol que consumo y que me hace pasajeramente inmortal así que bebamos y en paz, el aguardiente será nuestra patria común, radinovic me mira como si pensase que cualquier persona es culpable por el simple hecho de vivir, quizá tenga razón, quién sabe, quizá tenga razón, es posible que esto ya lo haya contado antes pero el alcohol a veces hace agujeros en mi memoria y no estoy seguro de nada, ni siquiera de haber amado a las mujeres a las que creí haber amado, el tapicero insiste en que uno puede permanecer en su casa viendo la televisión o escuchando música o en una iglesia rezando o comprando en un supermercado y pese a la inanidad de esas ocupaciones colaborar en una guerra remota, cambiar de canal con el mando a distancia y accionar un explosivo, firmar un papel y sancionar una pena de muerte, le digo que últimamente duermo mal, que las cosas se tuercen, él rellena dos copas y me dice que no me preocupe, que siempre hay un trago hospitalario para un amigo, que él huyó de una guerra, perdió a su familia y no por ello se vino abajo, sigue reparando muebles para que a lo mejor los disfruten los cabrrrones, prolonga la erre con odio, que mataron a su familia, nunca se sabe —dice— hay quien reza una oración y da una orden de ataque, yo no sé nada, radi, no tengo televisión ni patria ni iglesia, el olor del aguardiente se esparce por el taller como la sangre de la suicida se esparció por su brazo aquel día de años atrás, los ojos le brillan de tristeza y aguardiente, tal vez de nostalgia, me gustaría haber fabricado la cruz en la que murió cristo, eso sí que sería una obra perdurable, mi nombre entraría en la historia vinculado al de cristo que es un nombre inmortal, haría una cruz de ébano o de castaño o de sequoia o de roble, la firmaría al pie y cuando cristo agonizase la sangre quedaría en los huecos de mi nombre, radinovic, mi nombre quedaría grabado en sangre para siempre, eso es la inmortalidad, yo sería el artesano más famoso del mundo, en el mes de agosto radinovic cierra el negocio y desaparece durante unos días, tal vez vaya a rezar ante las tumbas de sus parientes y amigos muertos o a buscar huesos familiares en los campos de batalla aún minados, una mujer recién duchada nos observa a través del cristal del escaparate, cualquier cuerpo es deseable recién salido de la ducha, me gustaría abrazarla para recuperar la certeza de que sigo vivo, pedirle que me contara su vida, saber su nombre, su perfume preferido, adónde se dirige, caminar con ella unas horas, hablarle de las nadadoras olímpicas, de la pensión lausana, preguntarle si quiere ser mi clawdia chauchat y aliviar el dolor de este enfermo, acostarme con ella, observar cómo se ducha, lamentar que se despida en silencio alzando la mano hasta el cabello que me permite descubrir la calavera tatuada en su antebrazo, claro —comenta radinovic— follar mejora la circulación sanguínea y la tensión arterial, es sabio radinovic, como un día será sabio el de la 6, mi cuerpo ya no engaña a nadie, eso dijo el escritor el otro día, *los cuerpos no engañan*, y mi cuerpo ya no engaña a nadie, la dentadura postiza y el dolor matinal, la pereza de los órganos, el whisky que despierta un cerebro vago, los pies que heredamos de nuestros padres o los pies que no heredamos de nuestros padres sino de la muerte, bebo otra copa de aguardiente, quizá el alcohol mate aunque mientras bebas seas inmortal, como la cruz de cristo firmada por radi, pero te impide pensar en la muerte porque descubres tantos signos de muerte en la habitación 9 de la lausana —la mancha de humedad la memoria que abre galerías irreconocibles el sexo aletargado el calendario viejo el geranio— que piensas quién y cuándo y cómo te descubrirá muerto al pie del mapa de parís, debería hablar con la mujer que miraba desde el escaparate, decirle: déjeme hacer el amor con usted sólo para no pensar en la muerte que tiene una sombra negra y enorme como el gigante baltasar pero envejeces, te deterioras, te pudres o ya estás muerto como franz dertod, radinovic, amigo, fabríqueme un ataúd confortable, el serbio me contempla sonriente, no hago ataúdes, sólo recompongo objetos, no trabajo para los muertos, es tiempo perdido, pagan bien, sí, pero te esmeras en hacer un féretro como dios manda y al día siguiente lo entierran, nadie dice qué ataúd tan artístico, mi especialidad son los culos, esos viejos sillones que uno repara, los culos tienen su memoria como el olvido, su orografía y su calor que se transmite de padres a hijos, venga —añade el tapicero— no se ponga metafísico tan de mañana, bebamos, rellena las copas de aguardiente oloroso, firme, certero y brindamos sin saber por qué hasta que dice: por la feliz memoria de los culos, yo me quedo pensando en mi patria, en la que no tengo

un día hablaba de ello con el encargado de la pensión que citó algo así como que ningún español podrá ser privado de su nacionalidad capítulo primero artículo once de la constitución, eso dice el encargado cuando reclamo mi derecho de apátrida, de no pertenecer a ningún país, no combatir bajo ninguna bandera ni levantarme al sonar himno alguno, quiero sentirme como bobby fischer, mi patria es esta botella —le digo en la recepción de la lausana— trato de recordar una frase de sean connery en la película *la roca* que dieron el otro día en la televisión y que se refería al patriotismo, apátrida y apóstata, insisto, apátrida y apóstata y alcohólico, la triple A de mi terrorismo, salen de la pensión los dos homosexuales de la 5, regentan una tienda llamada dom cerca de la lausana, con artículos variados, como si hubiesen trasladado allí los restos del mercadillo, en las paredes cuelgan fotografías del barrio marais de parís y del de chueca de madrid, fotografías de parejas homosexuales que se besan en todas las esquinas, en todos los portales, en todas las terrazas, al lado de las fotos colocaron reproducciones en miniatura de los rótulos azules y verdes de las calles parisinas, rue de mauvais garçons des quatre-fils du pont aux choux des blancs-manteaux place de la bastille rue de rivoli, el encargado escupe cuando se pierden en la calle, y anarquista —añado— la 9 es mi patria, él sonríe, le faltan algunos dientes pero tiene una sonrisa dulce, un tanto paternal, le enseño el cristo que regateé en el mercadillo, una pieza de hierro cargada de óxido, la cruz se extravió o tal vez no tuviera cruz y estuviera directamente encajado en la lápida de un cementerio, pesa bastante, se la llevaré a radinovic para que me diga cómo se le puede quitar el óxido, pienso en el hueco vacío que dejó el cristo, en la cruz ahora deshabitada, la lápida escueta, el rincón de una iglesia a la que iban a rezarle los devotos, en el mercadillo se puede comprar cualquier cosa a buen precio, libros ropa fruta televisores sellos abrecartas sombreros cuadros jaulas cuchillos encajes muebles instrumentos musicales animales disecados fotografías, a veces compro un libro y se lo regalo al escritor de la 6, hay puestos regentados por magrebíes, ecuatorianos, cubanos, vietnamitas, rumanos, portugueses, paseo entre los tenderetes atiborrados de mercancías heterogéneas y me pregunto quién y por qué y en qué circunstancias de pobreza u odio se deshizo del retrato al óleo de aquella mujer, imagino que ella abandonó al marido y éste malvendió el cuadro para espantar el recuerdo doloroso, quién y por qué vendió el anillo, las gafas, el violín, los zapatos, entonces me pongo un poco triste, en el mercadillo se escuchan voces extranjeras, una babélica mezcla de idiomas que me hace sentir felizmente apátrida pese al capítulo 1º artículo 11 de la puta constitución que cita el encargado, pensé en mi soledad de la habitación 9, en la soledad de la 6 del escritor y en la soledad 7 del tapicero y en la soledad 2 de la ex nadadora y en la soledad 5 de los homosexuales y en la soledad ebria del pintor de la 4 y en la soledad 8 donde el viento sonaba como el lamento de una mujer, como el lamento de milena al contemplar el cadáver de franz dertod o el gemido de merlene ottey por no conseguir la medalla de oro en la final olímpica de los 100 metros lisos y en la soledad de las vocales y en la soledad de las consonantes sin fundir del letrero de la lausana, en todas nuestras soledades, en la soledad de las nadadoras que avanzan por las calles azules de las piscinas, en todas las soledades del mundo, incluso en la soledad de la patria, en la soledad de los himnos, en la soledad de las banderas, en la soledad de las constituciones, después me fijé en el cristo oxidado, regateé con el letón y lo compré por lo que cuesta una botella de vino barato, imaginé la cruz vacía, la lápida con las marcas que dejó la imagen robada, también la soledad del cristo, todas las soledades, me senté en una terraza, bebí unas cervezas contemplando el desorden del mercadillo, las mercancías ofrecidas a voces, argentinos, griegos, turcos, iraníes, pasad, angoleños, egipcios, chipriotas, senegaleses, coreanos, húngaros, eslovacos, mexicanos, venid y vendednos vuestra sangre, vuestra lengua, vuestra historia, vuestra patria, vuestra soledad, vuestro silencio, siempre hay alguien que necesita vender y alguien que quiere comprar, en los mercados nadie está solo, apátrida —dice el encargado— por tanto mando a todos los españoles particulares y autoridades que guarden y hagan guardar esta constitución como norma fundamental del estado, vaciamos la botella y le digo que subiré a mi habitación y colgaré el cristo en la pared, tenga cuidado —dice— este edificio no es nada seguro y añade con una hermosa sonrisa desdentada: apátrida, y: el alcohol es la patria de los borrachos capítulo primero artículo once

así que compro una botella de vino y me voy al parque, me gusta beber en los parques, en las plazas, en los soportales, en los puentes, elijo un banco solitario y me siento a beber, pienso en mis asuntos que son escasos y humildes como las monedas que a veces me da algún transeúnte confundiéndome con un mendigo, no me molesta que me confundan con un mendigo, no me humillan esos céntimos, pienso en mis asuntos que son pocos y miserables, que caben en una caja de galletas, cuando estoy pensando en mis pertenencias, mis amores, en la mancha de humedad de la pensión, en la inmortalidad del alcohol, en el destino final de mis cenizas, en las manos del escritor sosteniendo una estilográfica, cuando estoy pensando en que no me dio dios otra cosa que el error irreparable de nacer pasa delante de mí la de la habitación 2 de la lausana, la que según el encargado compra adolescentes para llevarlos a su cuarto, me reconoce y se sienta conmigo, habla en voz muy baja, apenas entiendo lo que dice, desprecia el vino que le ofrezco, nunca probé alcohol, lo afirma como si eso fuera una actitud heroica, tal vez ignore que quien nunca probó el alcohol jamás tuvo una patria, fui deportista —dice— fui nadadora, nadé en todas las piscinas del mundo —dice— tenía mejores marcas que mari paz corominas, entonces me fijo en su pecho liso, en la estructura firme de su cuerpo, alabo los cuerpos gloriosos de las nadadoras, abiertamente le digo que amo los cuerpos perfectos de las nadadoras, ella me mira con sorpresa pero adivina que no miento cuando recito

cornelia ender
    amanda beard
dawn fraser
    kristin otto
inge de bruijn
    jodie henry
malia metella
    camelia potec
leisel jones
    lisbeth lenton
claudia poll
    agnes kovacs

janet evans
xuejuan luo
franziska van almsick
laure manaudou

que llevaba la bandera de francia pintada en sus uñas, le cuento que veo en la televisión los campeonatos mundiales y los juegos olímpicos sólo para disfrutar de la perfección de sus cuerpos, el cuello sólido, los hombros firmes, los brazos prodigiosos, el vientre duro, los muslos admirables, bebo y le digo que me gustaría hacer el amor con van almsick con evans con manaudou dentro de una piscina de 50 metros, abrazarme a sus cuerpos mojados, oler el cloro de su piel, dejarme conducir en el agua por sus músculos insobornables, la de la 2 sonríe pero yo hablo en serio, pensé que joder con una de esas nadadoras de cuerpo perfecto sería como la resurrección de la carne, de mi carne por fin inmortal como el olvido porque el olvido es una forma de inmortalidad —dijo un día el escritor— pensé también que de ese modo ya no volvería a desear a ninguna otra mujer porque todas las mujeres posteriores serían flácidas y humanas, las nadadoras pasan media vida en piscinas de fondo azul, eso las convierte en diosas, en leyenda, endurece sus cuerpos, las hace ver el mundo de otro modo, ah los cuerpos exactos de las nadadoras los cuerpos gloriosos de las nadadoras los cuerpos solitarios de las nadadoras, ella sonríe otra vez, sigue hablando, fui nadadora, fui famosa, fui bella

—afirma— me amaron hombres importantes, estuve en fiestas por todo el mundo, me reclamaban en roma, en londres, en nueva york, en méxico, en munich, en parís, se enamoraron de mí actores, políticos, deportistas, me quiso hasta la locura johnny weismuller que me llamaba sweet jane cuando hacíamos el amor, me acuerdo de mi amigo el escritor que por las noches trabaja mientras escucha a lou reed, me gusta su música —dice— sus letras, y recita *hey baby take a walk on the wild side* todos caminamos por el lado salvaje, piensa el de la 6, toda la vida vagando como ciegos por el lado oscuro y salvaje *is just speeding away thought she was james dean for a day* hasta empotrarnos contra un talud o contra la vida o contra la literatura, dice el escritor que guarda en su cuarto un baúl lleno de libros y que lo llevará consigo cuando tenga éxito y vaya a recoger a sus padres al piso triste en el que ahora malviven, no podré olvidar nunca —sigue la ex nadadora— a tarzán weismuller, sus ojos inocentes, sus brazos de fuego, su pecho sagrado como el muro de las lamentaciones, su sexo bendito, mire —dice— mete la mano en el bolsillo y saca una medalla, es la medalla de plata que gané en 1960 en roma y aunque asiento con gestos de admiración sé que es una falsificación que se compra por dos euros en el mercadillo donde compré el cristo oxidado, pueden comprarse la fe y la gloria, los sombreros y los libros, los retratos y la felicidad, la inmortalidad y el olvido, continúa: yo tenía un cuerpo fibroso como el tronco de un árbol, como un relámpago, algo que enloquecía a cualquier hombre, una marca de 2:48:26 en los 200 metros libres y ahora ya me ve, nada queda de mí, dice guardando la medalla, busco jóvenes que prolonguen el placer del que disfruté un día, chicos solitarios que no preguntan nada, que ignoran quién fue tarzán, que se desentienden de la descomposición del mundo, que no saben qué es la vejez, quizá así sean felices —añade— los héroes olímpicos somos fugaces, memoria frágil, ya nadie se acuerda de mí como nadie se acuerda de gertrude erle, nadie se acuerda de johnny weismuller que me llamaba sweet jane —*new york city is no place they said: take a walk on the wild side*— cuando hacíamos el amor en hoteles de cinco estrellas de estados unidos, de grecia, de japón, de italia, de finlandia, nadie se acuerda de nosotros porque vienen detrás nadadores más jóvenes, más fuertes, que van batiendo nuestros récords, eso es el olvido, siempre hay alguien mejor y más joven en algún lugar del mundo, los campeones de atenas 2004 saben que existen nadadores que están preparados para vencerlos en los próximos juegos olímpicos, es más duradero el placer que la gloria aunque todo el mundo crea lo contrario, se queda mirando el suelo como una nadadora mira la piscina antes de zambullirse en el momento previo a la señal de salida, ¡a sus puestos!, la de la 2 me palmea un muslo y se va, sigo bebiendo pero ya no pienso en mí, en mis asuntos que son escasos y humildes, pienso en los miles de mujeres que ahora mismo entrenan en piscinas olímpicas, ensayan la fulminante salida, perfeccionan la vuelta, afinan la cadencia del ritmo, endurecen sus bíceps, sus trapecios, sus glúteos en gimnasios, vuelven a lanzarse al agua millones de veces, controlan la respiración frontal o lateral, prueban la braza, la mariposa, la espalda, el estilo libre y sin quererlo van modelando sus cuerpos, hacen miles de kilómetros como para dar la vuelta al mundo en una piscina de 50 metros

dawn fraser
kristin otto
franziska van almsick
janet evans
agnes kovacs
xuejuan luo
amanda beard
inge de bruijn
laure manaudou

a todas las amé en televisión el tiempo que duraba la prueba, cuando tomaban posición en el poyete, sonaba el bocinazo de salida, se sumergían en el agua, nadaban como seres de otro mundo y ganaban o perdían la competición, todas eran hermosas, la primera y la última, con ninguna hice el amor, eso es bien cierto, pero poco importa, janet kristin laure franziska xuejuan, nunca olvidaré vuestros cuerpos que me hizo recordar la de la habitación 2, recojo las monedas equivocadas que hay a mis pies, 2 euros y 56 céntimos, podré comprar otra botella cuando acabe la que ahora bebo, no está nada mal, amanda dawn inge laure ¡a sus puestos!

después me acerco hasta la estación, me siento en un andén para ver los trenes, me gustan sobre todo los que pasan de largo, los que no se detienen igual que las mujeres que pasaron de largo por mi vida sin detenerse, incluso en ocasiones pienso que la vida pasó también de largo y me quedo un tanto triste viendo alejarse los trenes como la vida, entro en la cantina, le pido un whisky al camarero, hay un negrazo enorme como la noche que bebe en la barra, en las cantinas de las estaciones siempre se ven televisores encendidos pero sin voz y fotografías de ciudades, es una pena que los televisores de las cantinas no tengan voz porque una noche que fui a beber allí estaban dando un concierto de brel, aparecía jacques en blanco y negro con un jerséi de cuello alto, me habría gustado escuchar su voz de compañero de barra *j'ai connu les bienfaits de l'amour* decirle gracias, jacques, porque es más fácil hacerle frente a la idea de que la vida de uno pasa de largo en el interior de los trenes que no se detienen nunca escuchando tus canciones, merci, jacques, en las cantinas hay viajeros que acaban de llegar o que están a punto de irse, todos tienen aspectos desorientados igual que brel, como si estuviera pensando qué isla remota es la perfecta para morir, me siento en un banco del andén, miro los trenes, los raíles, los pasajeros que descienden, sus maletas cuyo contenido desearía descubrir mi amigo el escritor no sé por qué, todas las maletas del mundo contienen lo mismo, ropas, útiles de aseo, explosivos, documentos, paraguas, periódicos, cajetillas de tabaco, ordenadores portátiles, la patria, el pasado, la nostalgia de un ayer tan breve como el viaje, los pasajeros podrían intercambiar sus maletas y no sucedería nada singular en sus vidas, no serían menos dichosos ni menos infelices, los ojos de los viajeros que abandonan los trenes miran con angustia como preguntándose y ahora qué, ahora que he viajado y llego a otro lugar, ahora que soy un poco más viejo, ahora que he abandonado mi patria, ahora qué, enciendo un cigarrillo, observo pasar los trenes, pienso en mi vida que va en el interior de uno de esos vagones y no me interesa saber a dónde llegará si es que llega a algún sitio, a un fiordo de noruega, a siem reap, a kimberley o a una botella de vino barato que beba un mendigo en una buhardilla, a lo mejor descarrila o hace explosión una bomba a mitad del recorrido, nunca se sabe qué nos espera dentro de un tren, en lo alto de un puente, en la mesa de un bar por el que pasaban de largo las mujeres como los trenes que ahora contemplo, pienso si no sería mejor subir a alguno de los trenes que de vez en cuando se detienen en la estación sin conocer adónde se dirige porque a quién puede importarle el destino de los trenes, el destino de las mujeres que amamos que siempre se alejan de nosotros como los restos de jacques brel en una isla de polinesia *j'aurais dû venir au monde en mourant* me acercaría hasta el vagón restaurante, pediría uno tras otro varios botellines de whisky, contemplaría el paisaje bajo la lluvia, me gusta viajar cuando llueve, ver caer la lluvia mientras vas en tren, en avión, en barco, en autocar, quizá no me entendiese el camarero cuando le contase que no sé adónde me dirijo, que me he subido a este tren para ver si mi vida va aquí dentro pero he recorrido todos los vagones y no la encuentro, he preguntado al revisor y no la ha visto, a lo mejor algún pasajero la metió equivocadamente en su equipaje porque la vida es una cosa pequeña como este botellín de whisky, una cosa frágil como la lluvia que cae mientras viajamos, tendré que buscarla en otra parte, en otro tren, en otra ciudad o en otra vida, incluso los camareros de los restaurantes de los trenes son apátridas, igual que yo y radinovic y bobby fischer y las nadadoras olímpicas aunque lleven pintada la bandera francesa diez veces en sus uñas y la suicida de 1980 y los escritores, los camareros viven en ese vagón como las nadadoras olímpicas en las piscinas y cuando se zambullen y salen a coger la primera bocanada de aire ignoran qué idioma es el del país donde están compitiendo, portugal, islandia, argentina, holanda, turquía, respiran el aire de naciones extrañas, avanzan por piscinas de aguas ajenas, se convierten en extranjeras de cualquier país del mundo porque el agua no es una patria como el alcohol, los camareros de los bares de los trenes se enamoran de mujeres a las que sólo vieron cinco minutos mientras bebían un café pero los camareros no tienen valor para dejar su oficio, apearse del tren donde se apee la mujer de la que se han enamorado y decirle: te quiero o haré cualquier cosa que me pidas excepto que me suba a un tren que me aparte de ti porque cualquier lugar en el que tú no estés será un lugar lejano y sombrío, una vía muerta, un túnel interminable, un vagón reventado con dinamita *une dame et comment veut-il que je sois une dame?* cualquier día sin ti será un día arrojado a la memoria del olvido, los camareros ven marchar a esas mujeres igual que yo las veía pasar de largo en los bares, perderse en la memoria del olvido, una memoria hostil de campo de exterminio en el que tal vez haya agonizado milena, nuestra señora de los ojos tristes, recordando el cadáver de franz dertod, judío asesinado por el nazi negro baltasar en 1944, me siento en un banco del andén, contemplo los trenes que se llevan dentro mi vida, a veces desciende una mujer, sueño que viene de muy lejos para estar conmigo en la 9 de la pensión lausana, que será sobre su cuerpo donde derramaré el perfume falsificado de carolina herrera que le compré al marroquí por pocos euros, sueño con que un día seré capaz de subirme a un tren y quizá le cuente mi vida al camarero del vagón restaurante, no creo que me lleve más de media hora hablarle de mis asuntos que son pocos e intrascendentes, puedo hablarle de las pensiones en las que viví, de las botellas que vacié y tiré al contenedor del vidrio, de las mujeres que quise, de las calles en las que posé mis pies descalzos, de los nombres que escribí con alcohol en las barras de los bares, del tiempo en la muñeca de alguien que no usa reloj, de la soledad de los abecedarios *vous savez bien que je ne suis rien* sería hermoso coincidir con jacques brel en el vagón, bebernos unos botellines de whisky en cuyo interior hay olvido e inmortalidad, que me contara cosas de bruselas, vamos, jacques, no hay trenes que me lleven a bruselas, cuéntame cosas de bruselas, él habla con cariño de la capital belga, como de una amante, cita la grand place, la mort subite, st arnould, las clases de cerveza, le jeu de balle, la gare central, tintin, saint hubert, las braserías, habla muy despacio y en voz baja como si estuviese a punto de quedarse dormido, dice que bruselas es eso, una amante que duerme a la que miramos desde la puerta entornada, añade que él a veces abandona bruselas dormida por otra ciudad, por otra amante, pero siempre tiene nostalgia de bruselas, donde quiera que esté añora bruselas, me moriré lejos de ella para evitarle el sufrimiento de verme agonizar —dice— igual que pacôme huyó de francia para que ningún compatriota descubriera que cada nueva pincelada sobre el lienzo aumentaba los destrozos de la enfermedad en su cuerpo devastado por los excesos de una vida infeliz, la amo más de lo que amé a parís —dice brel— a la música, a las mujeres, al tabaco, a polinesia, tengo ganas de acercarme a bruselas, debe de ser una ciudad silenciosa como la ex nadadora de la habitación 2 de la lausana, una ciudad ausente, las ciudades ausentes, las mujeres ausentes, las palabras ausentes, los silencios ausentes, son los que terminan por enamorarnos, eso le digo a brel que me asegura que me gustará bruselas, que la amaré como sólo se ama a una mujer a la que conocemos en el vagón de un tren y que se baja en la próxima estación, que lo lamenta pero debe descender en la siguiente parada, acercarse al aeropuerto y coger el avión que lo traslade a la polinesia porque no quiere que bruselas padezca el infortunio de verle agonizar, quedo solo en el bar hablándole al camarero de mujeres, de la pensión lausana, del escritor, de radinovic, del encargado, del pintor, de la ex nadadora, de los homosexuales, del viento que se agita en una habitación vacía y suena como el lamento de una persona irremediablemente triste, cruza el cielo un avión en el que brel viaja hacia polinesia porque no quiere que bruselas sufra el desasosiego de verle agonizar *pour un sou je me lève pour deux sous je me couche* por poco dinero más yo compro sombreros, libros y cristos oxidados en el mercadillo igual que la ex nadadora compra falsas medallas olímpicas, la vida es en realidad barata, sólo hay que saber dónde comprar la vida, dónde buscarla, un día el de la 6 me contó las vidas de los escritores que se marchaban de sus países como merlene ottey, huyendo de algo, buscando algo, porque todos los buenos escritores son apátridas —asegura— le digo que yo también huí de distintas ciudades pero en vano, al final termino siempre en la misma pensión aunque tenga diferentes nombres, pensiones húmedas y oscuras donde una mujer se suicida en una habitación impar igual que los eslovacos los argelinos los croatas los letones del mercadillo que abandonan sus países y acaban por encontrarse en tenderetes, en las puertas de las iglesias y supermercados, en las esquinas de las calles, pidiendo limosna, empuñando escobones para barrer los restos de la noche, tanto desplazarse para qué si después de todo somos como los trenes que miro, van y vienen para llegar siempre al mismo lugar, al pensarlo no me apetece subirme a ningún vagón, para qué, quizá me esté acostumbrando a la pensión lausana, a las mujeres que no acuden a las citas, al cristo oxidado, al armario de espejo, a la mancha de humedad, al aguardiente de radinovic que es un hombre sabio y afirma que la felicidad comienza cuando comprendes que viajar es un intento inútil, que en los asientos de los trenes aposentaron sus culos similares miles de pasajeros que buscaban lo mismo sin hallarlo, que no habrá nadie que esparza mis cenizas en noruega ni en una piscina olímpica ni en una botella de vino de burdeos porque los pobres no tenemos el derecho de elegir ni siquiera eso, en qué lugar nos gustaría ser enterrados, tiene razón el encargado —dice radinovic— el azar siempre favorece a los ricos, así que mi vida va en uno de esos trenes que contemplo desde el andén y pasan de largo, me meto en la cantina, jacques brel cantaba *j'ai grandi comme un chien de carrefour en carrefour* miro las fotografías de diversas ciudades colgadas en la pared madrid zaragoza barcelona oviedo cáceres bilbao soria teruel toledo málaga zamora en ninguna de ellas me gustaría ser enterrado, le pido un whisky al camarero, es difícil elegir la última patria, difícil acercarse a la ventanilla, difícil comprar el billete correcto, difícil subirse al tren adecuado, ese tren en el que una mujer te espera en el vagón restaurante y cuando entras te dice: hola soy laure manaudou, llevo semanas buscándote por todos los trenes por todas las estaciones por todas las tascas por todas las piscinas por todas las iglesias por todos los puentes, bebe una taza de café, contemplo sus uñas que tienen dibujada la bandera de francia y aunque detesto las banderas, amo por un instante esas uñas que deseo lamer como si fuesen dulces de postre de domingo, cuando yo muera, laure, por favor, esparce mis cenizas en el sena o en una piscina olímpica o vacíalas en una botella de burdeos y bébelas antes de hacer el amor con un hombre que tenga un cuerpo como el de popov o phelps o salnikov, ella sonríe, de acuerdo —dice— me beberé tus cenizas y mis cenizas serán minúsculas nadadoras que batirán sus marcas en la piscina olímpica de la sangre de laure manaudou, piscina con líquido de color rojo como el tren en el que va mi vida y que no se detiene cuando abandono la estación y regreso a la habitación 9 de la lausana

el geranio la mancha de humedad el armario de espejo la cama los libros la pileta el calendario atrasado y el orinal la caja de galletas el cristo oxidado el mapa de parís el geranio la mancha de humedad el armario de espejo la cama los libros la pileta el calendario atrasado la mesa de noche y el orinal la caja de galletas el cristo oxidado el mapa de parís la última A del letrero de neón fundida después de una noche de tormenta U A N que pasé bebiendo y mirando el geranio y la mancha de humedad y el armario de espejo y la cama y los libros y la pileta y el calendario atrasado y la mesa de noche y el orinal y la caja de galletas y el cristo oxidado y el mapa de parís, seguramente el escritor soporta mejor las tormentas nocturnas porque se encierra a escribir, escucha a lou reed *plucked her eyebrows on the way* piensa en sus padres, amontona folio sobre folio para resarcirlos de la miseria en la que ahora viven en ese barrio que parece la geografía de una novela de selby —el yonqui la puta el perro los jóvenes que beben mientras escuchan la música de la jukebox el marroquí que desparrama su mercancía sobre la barra del bar —saba'a alkair— el borracho que escribe en la mesa nombres de mujer la chica que proyecta suicidarse en cuanto llegue a su cuarto de una pensión de medio pelo el cliente que extrae la dentadura postiza y la deposita dentro del vaso de cerveza— pero yo combato las tormentas abriendo una botella de whisky y fumando un cigarrillo, quisiera telefonear a cualquier mujer, pedirle por favor que estuviera a mi lado, sólo eso, que bebiéramos juntos mientras la tormenta fulmina la última A del letrero y los truenos hacen temblar las paredes de la pensión, las paredes del cielo, las paredes del mundo, pero no sé el número de ninguna mujer, es doloroso mirar tu agenda y comprobar que tienes los teléfonos de amigos de los que no sabes nada, que viven en otros lugares o murieron o ya no se acuerdan de ti, teléfonos de la oficina de empleo y médicos de urgencia, pizzerías, fontaneros, policía, un nombre que ignoras quién pueda ser, pero no tienes el número de mujer alguna a la que telefonear para soportar juntos la angustia de estar vivo y borracho en una pensión con nombre de ciudad suiza una noche de tormenta con truenos y relámpagos que anuncian el inminente apocalipsis, la muerte de cristo, la resurrección de la soledad, la reencarnación de al-hakim, el imperio eterno del olvido, o si tienes el de alguna mujer seguro que es un número falso, podría marcar un número al azar y hablar con cualquier desconocida, confesarle tengo miedo a las tormentas, a los rayos, a los relámpagos, a los truenos, tengo miedo a la soledad, tengo miedo a la muerte, porque aunque bebo el alcohol no me proporciona ni olvido ni inmortalidad, no importa que esa mujer apenas te haga caso, que ni siquiera te escuche porque a lo mejor está leyendo una revista mientras tú hablas, eso no importa, un ratón atraviesa intranquilo el cuarto y me juro bajo los truenos que algún día dejaré atrás la pensión lausana como seguramente un día lo hará el escritor de la 6, escribirá un libro de éxito y regresará con sus padres o como radinovic que viajará a serbia y empezará a recomponer miles de muebles que la guerra ha reventado, sillas, sofás, vitrinas, aparadores, camas, estanterías, dejaré atrás el fantasma de la mujer que se suicidó en la 9, no me importaría que ahora apareciese de nuevo, que se sentase otra vez en el alféizar y me relatase su ayer ingrato con tal de que me hiciera compañía y canturrease *bye bye love* me gustaría hablar con ella, saber cómo eran los clientes que la invitaban a una copa, hombres de brazos tatuados con nombres de putas que habían conocido en bares de carretera, sé que nunca haré las maletas, que padeceré más tormentas consumiendo el whisky barato del supermercado de la esquina, vaciando la vida como quien tira de la cadena del váter y cuando pasó la tormenta en la 9 de la lausana había un hombre que miraba el geranio la mancha de humedad el armario de espejo la cama los libros la pileta el calendario atrasado la mesa de noche el orinal la caja de galletas el cristo oxidado el mapa de parís

un hombre que recordó a una mujer de la que el encargado había dicho: hasta estuvo conmigo, tenga cuidado, y abrió dos cervezas en la recepción de la lausana, un espacio pequeño con un sillón roto que ni el serbio se atreve a reparar, periódicos viejos y un cartel de un paisaje alpino, yo no confiaría en ella —dice— en ninguna mujer que aceptara acostarse con un viejo como yo, que barrió la sede del comité olímpico, montó piezas de relojes y jamás fue feliz en ninguna parte y un día al volver del trabajo encontró una nota de su esposa que decía: lo siento, sencillamente, lo siento, diez años a la mierda en dos palabras, ya ve —dice— hay vidas bien fáciles de resumir, lo siento o descanse en paz, sonríe y huele a alcohol, para qué quiere usted que arregle el letrero de la pensión si todas las palabras están de más excepto lo siento, se golpea el pecho con un puño, maldita puta, ha entrado en esta pensión con tantos hombres como usted pueda contar, en su cuerpo se agarraron maridos que el domingo pasean a sus esposas por las calles, tiene entre las piernas mil historias, las biografías de estudiantes sin recursos, de camioneros que siguieron su viaje y la olvidaron, muchachos que aprendieron con ella todos los trucos del sexo, entre esos muslos renegaron de su fe sacerdotes pálidos, viajantes que pasaban un par de días en la pensión, lo que yo le diga —afirma— desconfíe de esa puta, más de uno la maltrató y se oían los gritos desde aquí abajo pero qué, yo no quiero saber nada de la policía, sólo deseo vivir tranquilo esta vejez, olvídese de ella, no le hice caso entonces y esa mujer estaba conmigo en la 9 y la quise, era una puta y la quise, y descubrí en su espalda cicatrices de salvajes que la golpearon, me enseñó una marca en el vientre que era el rastro de un punzón que le clavó un cliente borracho, un hombre que tenía el tatuaje de una serpiente en el antebrazo izquierdo, un hombre que en realidad —dijo— parecía una serpiente que llevase en el lomo tatuada la imagen de un hombre, pasó varios días hospitalizada y nadie fue a verla, yo tengo más suerte que ella porque hace meses estuve en el hospital, siempre sospeché que ingresaría a causa de una trifulca callejera cuando vagase borracho o que en un bar me romperían una botella en la cabeza o que me rajaría un chulo por hablarle a sus pupilas de la dignidad que en el fondo desconozco o que un coche me atropellaría mientras me saltaba un semáforo o que el frío de la madrugada me heriría de muerte al quedarme dormido en un banco de un parque, en fin, algo épico y acorde con mi vida, con una vida tan lastimosa como una crónica de sucesos, pero lo que me hospitalizó fue un cólico nefrítico mientras bebía aburrido y miraba el calendario la mesa de noche el perchero la pileta el armario el mapa de parís, pensaba cómo sería la ciudad suiza de lausana, tendría que consultarlo en internet, si habrían nacido en ella personas importantes, si, por ejemplo, joyce, que para el escritor de la 6 es muy importante, había viajado alguna vez desde zurich a lausana y si joyce en realidad era importante, me trasladaron al hospital en el viejo ford del encargado cuando lo único importante del mundo era aquel dolor inagotable, estuve tres días ingresado, el escritor pasó para contarme la obra en la que trabajaba que tenía por protagonista a un negro altísimo llamado baltasar y le pronostiqué que un día sería famoso y podría irse de la pensión, comprarles un piso a sus padres y sacarlos del barrio lóbrego en el que malvivían, el padre era recepcionista de una pensión a la que únicamente se acercaba una clientela sin futuro —dice el de la 6— una pensión que sólo puede existir en la novela más amarga de hubert selby, la madre fregaba portales, colegios, cafeterías, y regresaba de noche con una bolsa de plástico en la que a veces traía restos de comida que volvía a cocinar sin decirnos nada para que no nos diera asco o más que asco —añade— tristeza, la tristeza miserable de la comida ajena, después apareció radinovic, el tapicero de la 7, conversamos acerca de la guerra de irak y de esas cosas absurdas que suceden en el mundo, de la memoria de los sillones, de las hermosas ciudades asoladas por las bombas, quien haya tocado una piedra de bagdag o de dubrovnik —dice— merece el infierno, un infierno de sillones desvencijados donde ni su culo ni su alma encuentren acomodo, aquellas visitas me hicieron sentir que mi vida le importaba a unos pocos, en eso no había pensado nunca, en que existiera gente que se molestara en venir a verme a un hospital cuando cayera enfermo, al final me sentí contento porque fue a visitarme el encargado de la pensión con dos amigas y tres botellas de vino, estuvimos bebiendo un par de horas, hablamos de la pensión y sus habitantes, de la mujer de la 2 que pagaba a adolescentes para llevarlos a la habitación, adolescentes que le hicieran olvidar a johnny weismuller que le llamaba sweet jane cuando hacían el amor en hoteles de estados unidos, de dinamarca, de argentina, de alemania, del escritor de la 6, de una pareja de homosexuales que ocupaban la 5 con vistas a un descampado donde dormían mendigos y que regentaban una tienda en cuyas paredes colgaban fotografías del barrio del marais y de chueca, reproducciones en miniatura de los rótulos azules y verdes con los nombres de calles de parís y un cartel que anunciaba la actuación de una drag queen en el bar las scandaleuses rue des rosiers agosto de 2001, de la mujer que se quitó la vida en la 9 en el año 1980, del pintor de la 4 que cuando fallaba un color gemía como un animal agonizante, como el viento que se agita en la habitación 8, tengo que adecentar la pensión —dijo el encargado— las paredes están llenas de porquería, la gente escribe cosas ahí, pensé que la gente anónima dejaba así su huella en las paredes de las pensiones baratas como el negro de la novela de mi amigo el escritor, en los bancos de las plazas, en los troncos de los árboles, en los pretiles de los puentes y se creían importantes con aquellas firmas y frases obscenas que hablaban de coños húmedos y de pollas enormes, todos nos creemos importantes, yo era importante a causa del cólico, el de la 6 por sus inéditos, los adolescentes secuestrados en la 2 por ser protagonistas de algo que probablemente sólo sucedía en las novelas que el de la 6 escribía, el encargado, las mujeres y yo reímos demasiado, la enfermera mandó desalojar la habitación, me quedé solo y olí las bragas de una de las chicas, me las había dejado diciendo: toma, así se te pasará mejor el tiempo, nunca olvidaré su gesto al inclinarse, bajar las bragas hasta los tobillos, levantar un pie, luego el otro y decirme lo del tiempo que enrolló entre las bragas, el tiempo detenido en su sexo donde se anunciaba la breve duración de la eternidad, quise rogarle a aquella mujer: no te vayas, quédate conmigo, decirle: tú eres clawdia chauchat y yo hans castorp, no puedes dejarme solo en el sanatorio internacional berghof porque entonces voy a morirme, voy a perder todos mis dientes, voy a perder la poca dignidad que me queda, pero comprendí que un hospital era uno de esos lugares hostiles al amor de los que habla el escritor de la 6 citando a joyce o a kafka o a faulkner, así que nada le supliqué a la mujer que me regaló la bendita limosna de sus bragas y del tiempo infinito y recordé a mi madre perpetuamente enferma, toda la vida muriendo poco a poco, mi madre que también me cedió la irrechazable limosna de sus ojos, sólo dije a media voz: hasta nunca, clawdia chauchat, que el destino te provea de cientos de bragas que alegren las estancias de los enfermos en los hospitales, las bragas usadas son las mejores medicinas para los hombres enfermos de soledad, las bragas usadas son las patrias de los hombres enfermos de tristeza, aquella última noche en el hospital dormí abrazado a las bragas que olían a orines, a veces tengo ganas de padecer de nuevo un cólico con tal de que venga alguien a verme con una botella y una mujer me regale el consuelo perfumado de sus bragas donde el tiempo se aquieta como un gato dormido en los brazos de una suicida, no es mala la comida, el trato resulta agradable y la cama bastante mejor que la de la pensión, ella pasó varios días hospitalizada y nadie fue a verla, posiblemente porque nadie sabía su nombre, nadie sabe el nombre de nadie, la imaginé sola en la cama del hospital, el indecente camisón azul con el anagrama del centro, el televisor apagado, quizá una estampa de la virgen de los ojos grandes que otro enfermo dejó allí, ni siquiera la virgen de los ojos grandes tiene un nombre, yo la escucho, sirvo dos whiskys, la miro y la quiero por su destino de perdedora que la asemeja a mí, la quiero porque tiene cicatrices imborrables, la quiero por acostarse con el encargado de la pensión, la quiero como el escritor quería los restos de comida que su madre llevaba a casa diciendo: mirad lo que compré o la quiero con la melancolía con la que quiero las limosnas que me dan equivocadamente, hacemos el amor, beso las marcas que otros dejaron en su piel, lamento ser tan viejo, tan triste, tan borracho, tan inútil como un tren que no arranca nunca, como un sillón que radi no puede reparar o una página que rompe mi amigo el escritor o un lienzo que destroza pacôme, vacío chorros de whisky en las cicatrices de su cuerpo y paso mi lengua por encima, así curo las llagas, la afrenta, la mentira de que un perro como el encargado de la lausana se atreva a decirme de esta puta: desconfíe, no desconfío porque recuerdo las palabras del de la 6 *los cuerpos no engañan* ella es eso para mí, un cuerpo, sólo un cuerpo en el que mis gestos de amor dejarán otra marca como la del punzón que hace tiempo le clavó un borracho hijo de puta, besé la cicatriz hasta hartarme, sólo un cuerpo, no el cuerpo esbelto de laure, de janet, de cornelia, de francisca, pero un cuerpo al fin y al cabo, la vida no es más que eso, un cuerpo que nos acoja, que nos conforte, que nos consuele, un cuerpo que se convierta en nuestra patria, en nuestra religión, en nuestra frontera, un cuerpo en el que no sintamos nostalgia de nada ajeno a él y así pasé la noche de tormenta, con la valentía que me presta la memoria, se ve que las tormentas afectan menos a las personas que a los letreros de neón de las pensiones, en la habitación 8 se alborotó el viento, emitió su eco de quejido humano, tal vez tenga razón el escritor y el encargado oculte en ese cuarto a una mujer que llora, a una mujer temerosa de la soledad, de los hombres, de las tormentas, de la luna llena, tal vez sea milena llorando por el recuerdo de franz dertod tué par les allemands

a media tarde me quedé sin priva y bajé hasta la tienda de ultramarinos donde compro habitualmente mi whisky barato, suelo perder bastante tiempo, miro los estantes llenos de humildes productos, latas de conservas, refrescos, golosinas, vinos sin denominación de origen, dulces sospechosos, frutas, verduras, vacío allí mi ocio, robo una cerveza que espero no me tenga en cuenta dios que no me dio otra cosa que este cuerpo demacrado, hay un dependiente medio lelo con el que hice una cierta amistad, me dijo que se había terminado mi whisky, mañana lo repongo, pero mire, me llevó hasta una estantería entre coliflores y cebollas, me mostró la oferta del día, tres botellas con forma de petaca de un coñac desconocido llamado catedrático, a doce euros, ya dejó de fabricarse esa marca, aproveche —dijo— no soy un exquisito en esas cosas, pagué los doce euros, subí a la 9 con las tres botellas, abrí una y comencé a beber pensando en los asuntos en los que uno piensa en una sucia habitación de una pensión de mala muerte cuando sabe que nunca va a suceder nada que merezca la pena, nada importante o inusual a no ser que volviera a visitarme la suicida de 1980 o llamara a la puerta halle berry para decirme aquello de la película *swordfish* que vi el otro día en el bar *no vine aquí para chuparte la polla* o *amando como se ama cuando el amor está prohibido* de la novela que me prestó el escritor de la 6 *la montaña mágica,* hay frases que uno no olvida nunca, o entrara laure manaudou y me llevara a nadar a una piscina de parís o apareciese una de aquellas mujeres que no cumplieron su promesa de pasar la noche conmigo y a las que busqué en glorietas, soportales, tascas, estaciones, terrazas, pasé revista a los recuerdos que el alcohol no había borrado de mi memoria y comprendí que nada importante había sucedido en mi vida, nada que mereciera la pena, nada que contarle a radinovic mientras consumimos aguardiente en el taller o al escritor de la 6 para que lo recoja en una de sus novelas, hace unos días me dijo que estaba a punto de terminar una titulada *la memoria del olvido,* le pregunté de qué trataba y respondió: de nada, la literatura nunca trata de nada, es un vacío, así que pienso que la literatura es como mi vida, como mis recuerdos que son nada, ni siquiera humildes o miserables, nada, ése es el argumento de cualquier existencia, mi existencia la va desgastando el alcohol hasta convertirla en nada y me encontraré con la ex nadadora, con el escritor de la 6, con los homosexuales de la 5, con la suicida de

1980, con radinovic, con pacôme el pintor, con mi imagen en el espejo del armario y no tendré nada que decirles porque el alcohol me habrá robado la palabra y la memoria, entonces estaré muerto porque el de la 6 dice que sin palabras y sin recuerdos nadie puede vivir, como yo sin el alcohol, como la ex nadadora sin adolescentes, como joyce sin su bastón o kafka sin su sombrero o faulkner sin su bigote —dice sonriendo el escritor— cuando terminé la botella y atardecía e iba a abrir la segunda, me di cuenta de que estaba pensando en la muerte, en mi muerte, aquel brebaje rebajado debía de ser atrozmente depresivo porque estaba pensando en la muerte, en mi puta muerte cada vez más próxima, en el incesante desgaste de mi cuerpo, el cabello que perdía, la opacidad vidriosa de mis ojos, la papada floja, las mejillas hundidas, las manos trémulas, en resumen, esa consunción que entre la vida y yo habíamos programado meticulosamente como el negro nazi baltasar había planeado tiempo atrás la violación de milena y el asesinato de franz dertod, la muerte era mi gigantesco baltasar, eso era la muerte, un ejército de nazis sanguinarios asolando la patria de mi cuerpo, vi el avance incontenible de la muerte en mi cuerpo como si mi cuerpo fuese un campo de batalla y un ejército cruel e invencible se lanzara al ataque, mi cuerpo era un país invadido, una plaza sitiada, una europa por la que viajaba el nazi negro baltasar para violar a milena y asesinar a franz dertod, un letrero al que se le funden las letras, no pensaba en la muerte en general como algo a lo que estamos abocados, como meditación metafísica, eso lo dejo para radinovic, sino en el progresivo deterioro de mi organismo, sentí un horror inmediato como si alguien hubiera metido una mano en mi pecho y me apretara el corazón, maldije al lelo de los ultramarinos y al coñac catedrático que me sumía en aquel podrido pensamiento, recordé una frase de mi madre: todo lo barato sale caro, los comerciantes, los profetas, los publicistas, los políticos, los actores, los cardenales, los jueces, los muecines, deberían vociferarla en todo el mundo, reproducirla en todos los idiomas con grandes letras de neón, hacerla brillar en el arco del triunfo en parís, en un rascacielos de manhattan, en la muralla china, en la torre de londres, en la plaza xemáa el fna de marrakech, en el coliseo de roma, en lo alto del machu picchu, en los desiertos, en los círculos polares, en los océanos, hasta en el cielo las estrellas deberían reproducir esa frase, todo lo barato sale caro, por qué no fui hasta el supermercado a comprar el whisky que consumo hace años y me acompaña como un escapulario protector, por qué adquirí las tres botellas del coñac maldito, ahora entiendo que a la mujer de la 9 que se suicidó hace años le diesen miedo los hombres que beben coñac como su padre, ahí estaba yo mirando las letras ya encendidas del letrero de la pensión, pensando en mi muerte, pensando en dónde me gustaría ser enterrado, no en aquella ciudad porque no hay nada más triste que estar enterrado en una ciudad que odias, me puse a recordar los cementerios que había visitado a lo largo de mi vida sedentaria, algunos sombríos y apartados, otros al lado del mar, en la cima de un monte, en el corazón de las ciudades, en las afueras, recordé una tumba del cementerio de nosa señora das areas de finisterre, la lápida que leí hace años y que no podré olvidar nunca christine patricia boyle *hay un rincón de un campo extranjero que es siempre inglaterra*, cuando se lo comenté al escritor me dijo que la frase pertenecía a un poema de rupert brooke, el de la 6 cerró los ojos y recitó como si estuviese rezándole a un dios vengativo *if I should think only this of me that there's some corner of a foreing field that is for even england* pero ningún cementerio era de mi agrado, no hay nada más triste que estar enterrado en una ciudad que detestas, en un lugar que odias, no quiero que me entierren bajo este suelo que odio, eso dije cuando la angustia y el coñac habían envenenado mi sangre con tan fúnebres pensamientos y yo seguía agonizando en la 9 de la lausana, fui deprisa hasta la 2, llamé a la puerta le dije a la ex nadadora que cuando muriese quería ser incinerado, que por favor ella guardara mis cenizas, que cuando le fuera posible las vaciara en una piscina olímpica de cualquier lugar del mundo que no fuese españa pese al capítulo primero artículo once de la constitución, es que soy apátrida, busque un buen lugar donde yo descanse tranquilamente, y ella dijo: de acuerdo, me haré cargo de sus cenizas, no se preocupe, cuando encuentre el lugar apropiado las depositaré aunque llevo una vida sedentaria, cuando era joven recorrí todos los países del mundo pero ahora apenas salgo de mi habitación, después llamé a la puerta de pacôme, le pedí que cuando me incinerasen él recogiera mis restos e hiciese con ellos un collage, que los pegase en uno de sus cuadros y el pintor contestó que no era una mala idea porque un cuadro no es sino ceniza y olvido, uno de los homosexuales de la 5 me abrió la puerta en bañador, le comenté mi ruego: cuando muera quiero ser incinerado, que os quedéis vosotros con mis cenizas y si un día vais a parís las esparcís por el sena o en el marais aunque él dijo que no tenían dinero para ir a parís pero bueno intentarían cumplir con mi deseo, al escritor de la 6 lo encontré saliendo de su cuarto, le pedí que me incinerasen, por favor, que él se quedara con mis cenizas y que cuando sus libros tuviesen éxito y fuera a dar una conferencia o a recoger un premio a alguna ciudad marítima del cantábrico o del atlántico aventara mis cenizas y si le concedían el nobel que se acercara desde suecia hasta noruega y las arrojase a un fiordo, fui al cuarto de radinovic, radi, me estoy muriendo, me estoy viendo morir, quiero ser incinerado, quiero que usted se haga cargo de mis cenizas, cuando vaya de vacaciones a serbia espárzalas en cualquier campo de batalla, radi, pero dijo que le importaban poco mis cenizas, bastante tenía con las de sus familiares exterminados, con los cadáveres irreconocibles, con los restos sin identificar, lo suyo no es importante —aseguró— una mala borrachera, sólo eso, y se quedó mirando cómo me marchaba a recepción para comunicarle al encargado que me incinerasen al morir, dejaría algún dinero para ello, hágase usted cargo de mis cenizas, si alguna vez vuelve a lausana viértalas en el lago leman, no quiero morir y que me entierren en esta tierra que odio, contestó que suiza era un mal sitio para pasar la eternidad, que estaba bien para millonarios o escritores pero no para un tipo como yo que se bebe la vida a grandes sorbos, en realidad —añadió— suiza es un país perfecto para suicidarse por culpa de mujeres que lo abandonan a uno por un italiano hijo de puta, subí a mi cuarto, cerré con llave aguardando inquieto la venida de la muerte, traté de relajarme y recité en voz alta los nombres falsos de las mujeres que habían pasado de largo por mi vida como los trenes que veo partir en la estación mientras yo permanezco en un banco del andén y fumo un cigarrillo que a lo mejor me acerca a la muerte como a humphrey bogart, sin billete para subir a uno cualquiera de aquellos vagones y viajar a donde el destino quiera llevarme, no me importa el término del viaje, sólo quiero no estar en el lugar en el que estoy, nada más que eso, nombres de mujeres nombres de ciudades nombres de plazas nombres de bares nombres de alcoholes nombres de patrias nombres de olvido, el tapicero llamó a la puerta, bebamos juntos, este aguardiente anima a cualquiera, pero no le abrí, no quería que viera cómo yo estaba muriendo, otro día, radi, vacié por la pileta las dos botellas de coñac restantes, vacié mi patria, mi memoria, mi pasado y mi porvenir, mi soledad y mi olvido por el desagüe, me quedé mirando cómo se encendían y apagaban la U y la N del letrero de la pensión, viendo avanzar la muerte por mi cuerpo como una manada de lobos acechando a su presa, así toda la noche, creo que fue una de las noches más amargas de mi vida, de mi puta vida, porque debe de ser muy triste que te entierren en un lugar que detestas, ver tus cenizas en una urna encima de una televisión en la que dan las noticias del telediario, una corrida de toros, una misa dominical, un partido de fútbol, un concierto de isabel pantoja, algo así, radinovic insistió golpeando la puerta y terminé por abrirle porque el tapicero es un hombre sabio

entra con una frasca de aguardiente y discutimos acerca de cuál de los dos es más viejo, dijo que él era más viejo porque había vivido más guerras que yo y las guerras envejecen mucho, incluso a quienes no participan en ellas, por eso el tapicero es un sabio, nombró las guerras que había padecido, propias y ajenas, en su país y en otros, y no le bastaron los dedos de las manos, y aún no he cumplido los sesenta —dice el serbio— nadie es inocente, nosotros masacramos a los croatas, los asesinamos, los herimos, los convertimos en desplazados, las guerras envejecen tanto a los que las pierden como a los que las ganan, mutilamos la historia como los nazis sanguinarios, dubrovnik fue como milena, un cuerpo que violamos, y ése sí que es un error irreparable —agrega— 2.000 proyectiles como esperma envenenado cayeron sobre la ciudad, quién gana las guerras, quién las pierde, quién las restaura, me gusta hablar con radinovic, sobre todo en tardes de lluvia como ésta, pasé algunas horas solo en la habitación bebiendo coñac y hojeando un libro que compré a un magrebí en el mercado, no sé en qué idioma está escrito, pero me tranquiliza mirar los caracteres, esos signos extraños que me remiten a códigos misteriosos que contienen todos los secretos del mundo, del amor, de la muerte, los orígenes del universo, la predicción de un final lento pero incontestable como el declinar de las letras del letrero de la pensión lausana, a veces me asustaba pensar que, sin descifrarla, en una de sus líneas estoy leyendo mi propia extinción por eso esta tarde me puse triste sin una mujer a mano bajo la lluvia también triste y bebí como todas las tardes pero el alcohol no me trajo consuelo alguno, entonces me quité la dentadura postiza, la coloqué encima de la mesa, me miré en el espejo del armario y era como si de golpe hubiese envejecido diez años, con los labios arrugados, las mejillas hundidas, como si viera a mi padre muerto de quien heredé el culo, las cejas, los dorsos peludos de las manos y esta forma amarga de entender la vida, aunque en realidad nunca llegué a contemplar su cadáver, ignoro si murió, quizá esté vivo todavía y un día nos crucemos en la calle sin reconocernos pese a nuestras manos y nuestras cejas y nuestros culos similares, tal vez le pida fuego o le pregunte la hora, nos miraremos sin saber que somos padre e hijo, no sé si eso es bueno o malo, estaría bien lo de encontrarnos e ignorando quiénes éramos compartir unas botellas de vino, que él me contara cosas de su vida, que yo le contase cosas de la mía y ni proporcionándonos esos datos íntimos seríamos capaces de reconocernos, luego estuve un buen rato quitando y poniendo la dentadura, afuera seguía lloviendo, la ponía, la quitaba, la ponía, la quitaba, una dos tres cincuenta cuatrocientas veces, como cuando lanzo el sombrero y no logro encajarlo en el brazo del perchero, fue entonces cuando apareció radinovic con el aguardiente, dijo lo de la vejez y las guerras, yo le rebatí, me quité la dentadura, dije: míreme, quién es más viejo ahora, radi, pero él bebió un trago, se quitó también su dentadura y preguntó quién: la verdad es que resultaba desolador contemplar ambas dentaduras sobre la mesa, al hablar emitíamos sonidos extraños como los caracteres del libro que yo había estado leyendo hasta que llegó el tapicero, esos signos tan hermosos, filigranas de orfebre como las geometrías que forman en el cielo las bandadas de estorninos, cuando ya estábamos bastante borrachos y brillaban la u y la n del letrero, hicimos una apuesta para ver quién se encajaba la dentadura más rápido, le gané, yo lo hice en cinco segundos y él en siete, después nos quedamos un rato mirando la lluvia en silencio, vaciando la frasca, yo dije que cuando la u y la n se fundiesen abandonaría la pensión, el serbio recibió la noticia indiferente, todos la abandonaremos algún día, todos nos vamos siempre de todos los sitios, todos somos apátridas pese a la documentación, a las costumbres, al lugar de nacimiento, a los artículos de las constituciones, a las leyes, a los pasaportes o al hoyo donde estés enterrado, todos somos apátridas —sentenció— hizo ruidos con la boca y dijo: esta dentadura me molesta, creo que las hemos cambiado y en efecto yo me había puesto la suya y él la mía pero yo no me había dado cuenta y él sí, por eso radinovic es un sabio y yo un simple borracho, más tarde el tapicero se marchó haciendo eses

abrí el libro, ojeé aquellos símbolos de hipnótica belleza غنجي pensé que me gustaría aprender ese idioma tan extraño que contiene los secretos del mundo, de la vida, de la muerte, de las dentaduras postizas, de las mujeres que no llegan nunca, de los trenes que viajan en la noche, de las manchas de humedad en las pensiones, de los alcoholes turbios, de los vagabundos, de los suicidas y de los cuerpos de las nadadoras, de las formas de las bandadas de estorninos en el cielo de la tarde, tal vez el de la 6 escriba un libro así algún día, en el que hable del encargado, de la ex nadadora, del pintor, de los homosexuales, de mí, de radinovic al que hace unos días fui a visitar a su taller, le dije lo que tantas veces le he comentado al escritor de la 6, que gasté mi vida esperando a mujeres que no llegaron nunca como trenes accidentados, el serbio está arreglando el relleno de un reclinatorio, se cubre la nariz y la boca con una mascarilla de color verde, no sé siquiera si me presta atención cuando le digo que perdí mi tiempo mirando a través de los ventanales, a veces ellas pasaban de largo sin reconocerme, sin reconocer a aquel que bebía en barrios remotos como islas, caía la tarde la noche y yo me retiraba a la pensión borracho y triste como una cucaracha, el encargado me presagiaba un futuro innoble si continuaba bebiendo así pero yo ya no creía en ningún horóscopo, nunca se cumplían sus augurios, ni en el amor ni en la salud ni en el dinero ni en el trabajo, nunca, en el reposabrazos del reclinatorio hay una cruz de chinchetas, radinovic forra con cuidado el sitio donde miles de rodillas se hincaron para rezar a todos los santos y a las vírgenes de los ojos grandes mientras le cuento que las mujeres pasaban de largo o llegaban a la hora exacta para decirme que se iban porque no había futuro, yo me quedaba solo bebiendo whisky sin entender lo del futuro que no existía, en la 9 miraba los objetos del cuarto, la mancha de humedad que se parece a la isla de jamaica, miraba mis manos pequeñas y peludas, buscaba sin hallarlo un porvenir más digno que el que todas pronosticaban, maldecía a quienes escribían mi futuro con tinta china, radinovic saca la botella de aguardiente y dos copas, después grapa el tapizado del reclinatorio, ya ve, radi, como brujas siniestras preveían un futuro de peligroso signo y es posible que acertaran, el serbio baja la mascarilla hasta el cuello, sonríe, dice que no es arriesgado apostar por futuros adversos, que eso es hacer trampas como en la película *el golpe* que vio media docena de veces, siempre creía que robert redford moría de verdad, el cine repara los malos argumentos de la vida, amigo mío, dijo el serbio como si fuese nicolas cage avisándonos de que el mundo se está yendo al infierno por correo urgente o connery llamándoles depravados a los patriotas, se pone de nuevo la mascarilla, le aseguro que olvidé los nombres de las tascas, las tabernas, los bares, las cafeterías donde pedía al camarero otra copa que me hacía olvidar esos nombres falsos como se olvida una fiesta de cumpleaños, ellas entraban, decían que no había futuro, seguían su camino, qué coño de futuro, radi, si yo sólo quería acostarme con ellas, no pretendía acompañarlas el resto de mi vida a la misa del domingo y arrodillarme en un reclinatorio como ése, no quería ver atardecer a su lado, quedaba a solas bebiendo, repitiendo nombres que eran los nombres de todas las mujeres por quienes perdí mi vida en bares, en tascas, en tabernas, en noches que acababan como todas las noches de mi vida sin futuro, en la pensión trataba de recordar sus gestos, sus voces que auguraban un porvenir tan sombrío, tal vez hayan acertado, tal vez hayan hecho bien al no quedarse conmigo, el tapicero se quita la mascarilla y vaciamos las copas de aguardiente, radinovic embellece los laterales del reclinatorio con pequeños clavos de cabeza dorada, me admira la gente que tiene esa precisión en las manos, con las mías temblonas nunca podré ser tapicero, la verdad es que no me molesta, no me gustaría estar tantas horas en un taller, preferiría trabajar en un tejado con obreros de torsos desnudos o en el mar al lado de pescadores blasfemos, relleno las copas, miro cómo maniobra radinovic, le digo que podría escribir un tratado del deseo, escribiría los nombres de las mujeres en servilletas de papel de los bares donde las esperaba, las arrugaría, las tiraría al suelo, nombres que garabateé mientras aguardaba a mujeres que no existen como el futuro

no sé si ella vendrá pero tampoco me importa demasiado, me gustaría que apareciese aunque no se está mal en esta tasca oscura llena de hombres que nos parecemos, hombres que encendemos cigarrillos, que pedimos con gestos más consumiciones, se está bien en este refugio, mientras cae la lluvia y quizá eso la haga desistir, juego con un guante que encontré cuando venía hacia aquí, en la televisión a la que nadie atiende pasan una película, contemplo el rostro grave de sean connery, él envejece con la dignidad que me falta, los días de lluvia es mejor soportarlos a solas, encerrarte en la 9 de la lausana, pensar en lo rara que es la vida o meterte en una taberna y escuchar a nicolas cage asegurar que el mundo se está yendo al infierno por correo urgente, tienes razón, nicolas, hace siglos que mucha gente lo pregona, a mí me basta con hallar un guante en la calle o contemplar en el espejo mi cuerpo envejecido o escuchar a las mujeres que acuden a mi encuentro decir lo del futuro que no existe para estar de acuerdo contigo, el mundo se está yendo al carajo por correo urgente, miro el reloj de pared, las siete de la tarde, a las siete de la tarde ese mundo que se va a la mierda se detiene un momento, se da un respiro y después sigue yéndose al infierno por correo urgente, cada vez está más cerca del infierno aunque lo desmientan las canciones de norah jones, el cuerpo de laure manaudou, los amantes que se besan en los bancos públicos y las estadísticas del fondo monetario internacional, abróchense los cinturones que el mundo se va al infierno por correo urgente, les habla el comandante nostradamus, creo que ella no vendrá, ni siquiera para decirme que conmigo no existe futuro, así que miro el televisor, pido la segunda botella, agradezco el don gratuito de la lluvia, me pongo el guante, pienso que quien no se conmueve ante un objeto encontrado es un perro, quien al caminar halla un guante y no se pregunta quién sería la persona que lo extravió no merece esta vida ni este mundo que se va al infierno por correo urgente, mis piernas cansadas que me condujeron por estaciones de autobús de tren por oficinas pensiones hospitales tabernas supermercados parques puentes jardines almacenes soportales avenidas suburbios y cementerios me premiaron a veces con míseros trofeos, recogí en mis paseos encendedores, bolígrafos, gafas, pendientes, cartas que leí como si me estuvieran destinadas, zapatos, fotografías de gente vagamente familiar, jerséis, calcetines, camisas, pañuelos, pantalones, como si todos tuviesen calor y se fuesen desnudando, al descubrir aquellas pertenencias sentía ganas de llorar, yo, que ni siquiera lloré esperando a las mujeres que no llegaban nunca, ni cuando murió mi madre después de pasar media vida hospitalizada, no se curaba nunca, no era clawdia chauchat que un día abandonó para siempre el sanatorio internacional berghof, en ocasiones descubría colchones apoyados contra una pared, fantaseaba con sus noches de amor, de soledad, de disputas, de hastío, de reposo o de enfermedades, quién puede ser feliz cuando camina y se tropieza con el cadáver de un gorrión, de un gato, de una paloma, sin detenerse a pensar que el mundo se está yendo al infierno por correo urgente, cuando suba a la 9 abriré la caja de galletas y guardaré el guante junto al pendiente, las gafas, un zapato sin tacón, una fotografía de tamaño carné de una adolescente, un dado, un bolígrafo y una estampa de la virgen que encontré una tarde que me refugié del aguacero en una iglesia vacía, nuestra señora de los ojos grandes se llama esa virgen, a veces releo la carta, hablo con la adolescente de la foto, le pregunto su nombre, en dónde vive, si ha cambiado mucho, ella me cuenta su vida, sus palabras rompen la soledad de las vocales y de las consonantes, ahora soy más vieja —dice— apenas me parezco a la adolescente de la fotografía que encontraste —dice— cambié de nombre varias veces creyendo que con alguno de los que elegía podría ser feliz pero me equivocaba, ningún nombre me proporcionó más dicha que el anterior —dice— todos los nombres mienten, todos los nombres son falsos, pero tú si quieres puedes llamarme milena, fue con ese nombre con el que estuve más cerca de la felicidad, milena —repite— y cuando las noches son frías y largas como suelen serlo en las pensiones ruinosas, extraigo la estampa de la virgen y le pido consuelo para mi aflicción, yo, que no creo en más vírgenes que las nadadoras olímpicas, en sus cielos de aguas azules, santa laure manaudou, rogad por nosotros que apostatamos de la fe, que nos empecinamos en la herejía, rogad por nosotros que somos hijos de herodes antípater, hijos bastardos de algún dios desleal abandonados en pensiones donde a veces suena el viento como el quejido de una mujer que pariera un demonio o como cuando gime pacôme encerrado en la 8 después de romper un cuadro que no le gusta porque —dice— retiro el lienzo del caballete y si sigo viéndolo como un fantasma es que ese cuadro es bueno, ese cuadro es inevitable, ese cuadro existe, pero si no lo veo, si desaparece —bebe se seca los labios con la manga de la camisa enciende un cigarrillo— hay que empezar otra vez y por eso lloro, había planeado llevarla a un bar donde no se come nada mal por poco precio, explicarle sin entrar en detalles cómo es mi vida, invitarla a subir a la habitación 9 de la lausana, conseguir que me acompañara unas horas, lo de siempre, miro hacia la calle vacía por la que debería aparecer, adivino que no vendrá, a los descreídos sólo se nos aparecen vírgenes de nombres extraños en estampas perdidas porque no tenemos fe ni patria ni religión ni iglesia en la que acogernos los días de lluvia, no tenemos vírgenes que nos protejan ni dioses que nos tutelen, sólo nadadoras de cuerpos duros que vagan por el cielo azul de las piscinas olímpicas en las que aparece una isla misteriosa, en el televisor sean connery afirma que el patriotismo es la virtud de los depravados, lamento no haber seguido la película, es un buen consuelo para una tarde de lluvia en un mundo que se está yendo al infierno por correo urgente y en el que impera la virtud de los depravados que es el patriotismo, ese flamear de banderas, los himnos en honor de los vencedores de los juegos olímpicos, nunca veo las ceremonias de entrega de medallas, los himnos, las banderas, los desfiles me ponen de mal humor como a sean connery, ya dije que mi patria es el alcohol que bebo, es el vino que fluye por mi sangre, el whisky que espesa con olvido mi memoria, la cerveza que consuela la resaca del mediodía, el coñac que me incita a pensar en la muerte, el burdeos que laure manaudou vacía en la terraza vagenende de parís con mis cenizas derramadas en el interior de la copa que acaricia con sus manos en cuyas uñas ha pintado la bandera de francia aunque las patrias no existan, he ahí mi puta patria, señor presidente, todas las patrias han variado sus fronteras a lo largo de la historia, sus fronteras y sus himnos y sus nombres y sus monedas y sus idiomas y sus banderas, siempre se muere en una patria que ya no existe, por una patria que ya no existe o que no existirá mañana, pobres héroes y mártires con estatuas caducas y placas conmemorativas, cómo se ríe el futuro de vosotros, cómo se mofa sean connery llamándoos depravados, al otro lado del cristal se hizo de noche, enciendo un cigarrillo que me llevo a los labios con la mano enguantada, mi gesto es un remedo del gesto de humphrey bogart y quizá como a él este cigarrillo me arrime un poco más a la muerte, pienso en todas las mujeres que me abandonaron antes de que yo las abandonase a ellas, no sé si ella vendrá pero tampoco importa demasiado, me gustaría que apareciese aunque no se está mal en esta tasca oscura llena de hombres que nos parecemos, hombres que encendemos cigarrillos, pedimos con gestos más consumiciones, se está bien aquí, en este refugio, mientras cae la lluvia y acaso eso la haga desistir, le pregunto a sean connery si acepta cenar conmigo aunque sea en un lugar barato, beber un par de copas, contarle el origen de los objetos que guardo en la caja de galletas, aclararle quién fui, por qué llegué a este estado, lamentar que las mujeres con las que me cito no aparezcan nunca o vengan tarde para decirme que a mi lado no hay futuro, sean, tú no sabes qué es estar solo, tienes suerte, a ti no te dejan las mujeres, vives en un mundo falso diseñado por un guionista mentiroso como el fondo azul con nubes blancas de la fotografía en la que el escritor de la 6 posa con sus padres, no he venido aquí a escuchar tus lamentos —dice sean connery— yo ya conseguí mi óscar, mi carrera, mi futuro, déjame en paz, tengo que leer unos cuantos guiones, qué sabrás tú lo que es la vida, sean —le reprocho— nunca perdiste horas aguardando a mujeres, nunca compraste whisky barato en una tienda de ultramarinos, nunca subiste a un autobús conducido por un chófer asesino, crees que la existencia es un rodaje en el que si hay una escena peligrosa te suple un especialista, crees que la muerte termina cuando alguien ordena: corten o: vale la toma, pues déjame decirte que estás equivocado, que la vida mancha, no como la sangre artificial de las películas, que las mujeres no vienen nunca, que hay que beber alcoholes por el precio de la calderilla que tú jamás te agacharías a recoger y la muerte es irrectificable como el nacimiento, hazme caso, sean, créeme, pido otra botella y sigo bebiendo, bebiendo el tiempo que pasa sin que ella acuda, no tengo apuntado en mi agenda el número de otra mujer que quiera vivir la noche conmigo, al terminar la película sean me guiña un ojo, no cesa de llover

la lluvia es como un pensamiento que nos obsesiona, como una letanía que repetimos hasta que pierde su significado, la lluvia es la lista interminable de las nadadoras olímpicas que humedecen mi soledad gertrude laure janet kristin franziska cornelia amanda xuejuan inge lisbeth claudia jodie malia shane barbara yana natalie haley, rogad por todos nosotros, vírgenes de los cielos acuáticos, después dan un concierto de norah jones *I waited 'til I saw the sun* sentada frente al piano derrama una ternura huérfana como la suicida de 1980, como si se sintiese abandonada o sola, como si alguien acabara de decirle: no hay futuro a tu lado, norah parece janet evans saliendo de una piscina después de ganar una medalla de bronce, parece un gato dormido en el alféizar de mi ventana, tengo ganas de pasar una mano por su espalda desnuda que será delicada y suave como el lomo de una nutria *my heart is drenched in wine* la sonrisa de norah es hermosa y dulce, la miro a los ojos, me gusta, me gustas mucho, norah jones, quisiera abrazarte, abrazarte lentamente, escuchar tu voz que suena como la lluvia o como el mar batiendo en un fiordo de noruega en el que arrojarán un día mis cenizas, alzo mi vaso hacia el televisor, ¿quieres cenar conmigo esta noche, norah, antes de que el mundo se vaya al infierno definitivamente entre himnos y banderas y botellas de vino solitario?, ella me sostiene la mirada, sonríe de nuevo *out across the endless sea* lo dejamos para otro día —dice— al acabar el concierto tengo que coger un avión y marcharme a norrkoping, hay allí un local de jazz muy pequeño, un sótano en el que me gusta actuar para pocas personas que me escuchan en silencio como si yo fuese una virgen explicándoles los secretos de la fe, de la religión, del más allá, en fin, norah, no ibas a ser tú la excepción, no ibas a ser tú la mujer que subiera conmigo a la 9 de la lausana y paliara el desgaste del tiempo que poco a poco vacía mi memoria y mi futuro, no apuntaré tu nombre en mi agenda, no me consolarán tus ojos en las noches de tormenta ni tu voz en las tardes de lluvia ni tu cuerpo en el sucio amanecer de la pensión, a lo mejor aún aparece la mujer que espero porque en las noches de lluvia suceden cosas muy raras, radinovic se sienta en el reclinatorio, coge su copa, me escucha con atención, en la nueve de la lausana recordaba sus cuerpos, pensaba que quizá el encargado atinase al hablar de mi futuro innoble escrito en arrugadas servilletas de papel, contemplaba la mancha de humedad, no se debe de estar mal en jamaica, bebiendo en una playa, admirando los cuerpos esbeltos de las negras como merlene ottey que seguramente no conseguirá ninguna medalla este año en atenas ni se clasificará para la final de los juegos olímpicos y se retire, me causará tristeza no volver a ver correr en la pista a merlene, la más hermosa velocista de todos los tiempos, la virgen negra de los fracasados, radinovic y yo chocamos las copas, dice que a su edad uno contempla a las mujeres sin deseo, como se contempla el mar o se ven pasar las nubes en el cielo o los trenes fugitivos por las estaciones, eso sí que es triste, más triste que esperarlas en los bares aunque no vengan nunca, por merlene —digo— por merlene —repite radinovic

me fui a mi cuarto, el viento sonaba como un gemido en la habitación vacía o donde una mujer enferma llora desconsoladamente, igual que una virgen pariendo un demonio, igual que milena lloraba en una habitación de ledru-rollin después de ser violada por baltasar, el nazi negro y gigante que en vez de acatar su destino de chófer del coche que rescataría de la miseria a los padres del escritor, se disfrazó con un uniforme y una esvástica para cumplir un proyecto equivocado ante los ojos asustados de franz dertod 1920-1944 tué par les allemands, tal vez sea el espíritu de mi madre enferma diciéndome me muero, ahí te dejo como herencia mis ojos tristes como los de franz dertod, como los de milena, como los de clawdia chauchat, como los de nuestra señora de los ojos grandes, como los de merlene ottey al recoger su medalla de bronce en los juegos olímpicos

más tarde me quedé dormido y soñé que ardía la pensión, vino a buscarme al bar aquel tipo que a veces jugaba conmigo a las cartas, un fulano muy delgado, más pobre que las ratas, medio lelo, que trabaja en los ultramarinos, yo no sé en qué pensaba cuando entró sobresaltado, creo recordar que escribía nombres de mujeres en la superficie de la mesa, mojaba mi dedo en el vino y escribía en el tablero los nombres de las mujeres que aparecían en los libros que me prestaba el de la 6, los libros que yo no terminaba nunca de leer y quedaban con una esquina doblada en la página 23, la 40, la 87, tal vez escribía clawdia o emma o inés o milena o beatriz o elena o sara, garabateaba nombres femeninos con alcohol en el tablero de la mesa pero no quedaba rastro alguno de los nombres ni de las mujeres, entró y dijo que la pensión lausana estaba ardiendo, me lamí el índice empapado en vino, salimos juntos a la calle y nos sentamos en la acera frente al edificio, sólo se encendía y se apagaba la N del letrero, la única que había sobrevivido, las demás habían desaparecido como desaparece casi todo, mis dientes y las mujeres que espero en los bares y los trenes que pasan de largo por las estaciones cargados de viajeros que transportan sus vidas en maletas similares y los nombres escritos con alcohol en las mesas, incluso los nombres escritos con tinta en un papel o cincelados en las piedras o incrustados en las lápidas o los grabados en las placas, todos desaparecen, todos se borran, todos los nombres, nos sentamos en el bordillo de la acera de enfrente y nos pusimos a mirar el incendio como quien está en un cine al aire libre, como los espectadores contemplaron las pruebas de natación de los juegos olímpicos de parís en 1900 desde los puentes y los muelles del sena, había un agradable calor de horno y se estaba bien allí, tan cerca del fuego, es bonito, me gusta —dijo el lelo— la gente se apiñaba en semicírculo alrededor de la fachada, las llamas encendían la noche asomándose por las ventanas, el humo era como nieve contra el cielo negro, radinovic vino a sentarse con nosotros, no se había puesto la dentadura postiza y parecía unos años más viejo, unas cuantas arrugas más triste, esto me hace recordar las putas guerras que viví —dijo— a cualquier lugar al que yo vaya llegará un incendio que lo arrase todo, los reclinatorios, los chineros, los bargueños, los sillones que reparo, se sujetó la cabeza con los puños en las sienes, lo siento, radi, lo bueno de los incendios es que a los pobres no nos arrebatan nada —le digo— a mí sí —dijo— no tuve tiempo de coger mi dentadura postiza que ya se habrá derretido en la pileta de la habitación, mierda, la verdad es que al imaginarme la dentadura de radinovic licuándose diente a diente, muela a muela, sentí una enorme amargura, nada mío ardía aunque se quemase la cama la mesa de noche con el orinal los libros el armario de espejo la ropa el mapa de parís el calendario viejo el cristo el geranio el recuerdo de la mujer que se suicidó en 1980, nada mío ardía aunque se consumiera el tiempo que yo había vivido en la pensión, nada mío, nada, ni siquiera la caja de galletas con los tesoros encontrados en la calle —un zapato un guante una media un pendiente las gafas un bolígrafo billetes de autobús la fotografía adolescente el dado la estampa de la virgen de los ojos grandes— las mujeres que amé en aquella habitación, hermosas o feas, alegres o tristes, sanas o enfermas, mujeres que se llevaron mi dinero, mujeres cuyas cicatrices besé, mujeres suicidas, nada mío, ardían los sueños y la fortuna del encargado, los emigrantes que pasaron por la pensión como pájaros esquivos, los oficinistas solitarios y los yonquis intranquilos y los enfermos y los camellos y las parejas que jodieron entre aquellas paredes, eso ardía, apostadores, viajantes, extranjeros, siempre extranjeros, ateos, ladrones, anarquistas, ardía la historia de la pensión lausana, la historia del mundo desde enero de 1969, las sillas desvencijadas que radinovic no podría reparar nunca, las puertas, las alfombras raídas, las llaves fundidas, los ratones que corrían con el pelaje incendiado y caían muertos en las esquinas, ardían los futuros imposibles en los que aguardaría en bares sin nombre a mujeres sin nombre que llegaban con prisa para decirme que el futuro no existe, el escritor se incorporó a nuestro grupo, miró el incendio con ojos desolados como si acabaran de fallar el premio nobel y se lo hubieran dado a otro con menos méritos, el lelo me dio un cigarrillo, dijo que le gustaba el espectáculo, parecíamos refugiados consolándonos al calor de una hoguera, mendigos que encienden una fogata al anochecer y acercan las palmas de sus manos, esos dedos huesudos de uñas negras de mugre, manos que no escriben libros ni firman documentos, manos que sostienen pichas también sucias con las que orinan y apagan los restos de la fogata cuando amanece, pacôme se paseaba detrás de nosotros, bebía de aquella infinita botella de whisky, decía que el fuego había consumido sus obras y los fantasmas de sus obras y los vacíos de sus obras y que ahora vendría a por él, el encargado se sentó a nuestro lado y blasfemó en francés mientras yo pensaba que ya no quedaba nada de la pensión, el geranio el armario de espejo la ropa la cama la pileta el calendario atrasado la mesa de noche el orinal el frasco de perfume falsificado la caja de galletas el cristo con óxido que compré en el mercadillo, yo era aquel cristo de hierro, el cristo resucitado que ahora consumían las llamas y en vez de sangre derramaba colada de hierro, hierro fundido para lavar las culpas de los habitantes de la pensión lausana, para mitigar su desconsuelo, yo que había sido eric moussambani y pieter van den hoogenband y nicolas cage y franz dertod y un paria un apátrida un anarquista un alcohólico soy ahora cristo que se inmola, cristo que agoniza en el gólgota de una pensión de medio pelo, ha llegado mi hora, la hora de todos nosotros, porque la vida me había condenado a muerte y yo cargaba con la cruz de mi soledad, de todas las soledades del mundo

la soledad de la cruz
la soledad de las botellas vacías
la soledad de las mujeres que pasaban de largo
la soledad de las tormentas
la soledad de los circuncidados
la soledad de los campos de exterminio
la soledad de las vocales y las consonantes
la soledad del olvido

y he caído por el peso insoportable de tanta soledad, de camino al gólgota tropecé con mi madre enferma, gracias, mamá, porque heredé de ti los ojos con los que miro los cuerpos de las nadadoras, el mapa de parís, el río sena desde los puentes, cuando nos separamos me pareció que lloraba, tal vez se compadecía de mí, se entristecía al ver a su hijo soportando la pesada cruz de todas las soledades del mundo, debe de ser muy triste para una madre ver en qué se ha convertido su hijo, ver que su hijo no es fuerte como phelps ni sabio como radinovic ni millonario como sean connery ni hermoso como johnny depp, tal vez no esté afligida sino avergonzada, tal vez reniegue de mí y de su pasado, tal vez lamente las noches de amor con herodes antípater que me engendraron, el escritor se me acerca, dice que no me preocupe, que beberemos unas botellas, que él me echará una mano con mi carga, déjame —le digo— está escrito que tiene que ocurrir así, tu destino no es el de cireneo, tú publica libros, gana dinero, saca a tus padres del barrio en un audi 100 conducido por el negro nazi baltasar que acomodará malamente su 1,99 dentro del coche y su condición de chófer lo resarcirá de su antiguo destino de verdugo, llevar a tus padres al paraíso lo exculpará de haber conducido a franz dertod a la muerte en la calle ledru-rollin de parís, ésa será su penitencia, y cuando yo muera crucificado, entra en el sepulcro, roba mi cadáver, incinéralo y esparce las cenizas en un fiordo, en un desierto, en una botella de burdeos que beba laure manaudou, que no quede más memoria de mí que la dedicatoria de tu libro, al hombre de la 9 de la pensión lausana, ésa es la memoria que quiero, la del olvido, aunque tal vez algún rastro de mi paso por este mundo haya quedado en la piel de las mujeres que subieron conmigo a la pensión, la suicida de 1980, la puta que olía como la madrugada, como los murciélagos, como el camión de la basura, como olemos los habitantes de la noche, en la cicatriz de aquella otra que besé para borrarle la herida que le causó un borracho, quizá mi rastro quedó impreso en las bragas de la chica que me fue a ver al hospital cuando estuve enfermo, gracias, verónica, por tus bragas olorosas que enjugaron mi viejo rostro desdentado, en tus bragas consoladoras queda la huella de mi frente, de mis cejas, de mi nariz, de mis labios, de mi mentón, algún día venidero hallarán las bragas y descubrirán las señales de mi rostro, un capullo gritará milagro, las someterán a las pruebas del carbono 14, al análisis multiespectral, a los rayos x y al microscopio y a la teología, la gente vendrá de todos los países del mundo para adorarlas, tomarán mi nombre en vano y me transformaré en el dios de una nueva religión o de una secta herética como los drusos y nombraré vírgenes a todas las nadadoras olímpicas, bragas que olerán a mi sudor y al coño de aquella verónica caritativa y alegre que me las regaló en el hospital, mi faz ajena como la de cristo, he caído de nuevo, mi nacimiento no fue un error sino una caída, un descenso al abismo, a los infiernos turbios de las piscinas olímpicas donde sólo compiten dos nadadoras en las series de clasificación, la muerte debe de ser algo así, algo tan melancólico como una piscina vacía en cuyo fondo se amontona la hojarasca, las salamandras, la memoria de los veranos y de los cuerpos, uno contempla esas piscinas vacías como los ojos de un ciego y piensa que ningún futuro es posible porque las mujeres de jerusalén no lloran por mí, no lloraron por mí jessica ni uma ni jane ni juliette ni susan ni norah *just hold me and tell me that you'll be here to love me today* no lloró laure ni janet ni amanda ni franziska ni kristin, aunque a veces me mirasen con cierta ternura compasiva como yo miro los objetos que encuentro en las calles o los pasajeros de los andenes de la medianoche, malditas mujeres de jerusalén que os entregasteis a otros hombres más jóvenes, más hermosos, más ricos, más fuertes y mirasteis indiferentes cómo yo pasaba con mi cruz a cuestas, haré estériles vuestros vientres, marchitaré vuestros pechos, cerraré vuestros labios burlones, malditas mujeres de jerusalén que pasasteis de largo cuando volví a caer y no me disteis el amor de vuestros cuerpos, fui despojado de mis vestiduras, la vida me fue despojando de todo lo que tuve, la juventud, la memoria, la salud, los dientes, los ojos que heredé de mi madre, las manos que heredé de mi padre en cuyas manos encomiendo mi espíritu que cuando yo sea crucificado regresará a la pensión lausana, al mapa de parís, al mercadillo, a los bares, a las estaciones, a los puentes, estoy crucificado en una cruz de metal y mi cuerpo no derrama sangre sino colada de hierro, rezuma óxido y soledad, rezuma hierro fundido, vino barato para emborrachar a medio mundo, muero en la cruz, pierdo la memoria de mi vida, pierdo hasta la memoria del olvido, pierdo definitivamente lo que nunca tuve, lo que nunca fui, entre radinovic y el escritor desclavarán mi cuerpo y lo descenderán de la cruz, quizá hagan un comentario amistoso, el encargado pensará un cliente menos, no creo que el firmamento se oscurezca ni que la tierra tiemble por mi muerte, qué es la muerte de cristo comparada con los miles de muertes de cada día, de todas las miserias del mundo, ah las malditas patrias las malditas banderas los malditos himnos las malditas guerras los malditos ejecutores los malditos verdugos, cristo es la primera muerte retransmitida del mundo, cuatro evangelistas contando hasta los mínimos detalles, quizá en algún libro el de la 6 relate mi pasión y mi muerte, yo que usurpé el papel de cristo y fundé una secta herética y mi sangre era colada de hierro o vino tinto y declaré vírgenes a todas las nadadoras olímpicas, merezco un evangelista que narre mi biografía aunque no deseo que veneren mi memoria sino que la maldigan,

borracho, maldito seas
putero, maldito seas
malhijo, maldito seas
ladrón, maldito seas
apátrida, maldito seas

ahora sepultadme, sepultadme que no me tomaré la molestia de resucitar, morir es otro error como nacer, sepultadme en una piscina olímpica o incinerad mi cuerpo y que alguien esparza mis cenizas en un fiordo de noruega, en una botella de burdeos que beba laure manaudou en una terraza del boulevard des capucines, mezcladlas con migas de pan y dádselas a las palomas de patas mutiladas para que las picoteen, éste es mi cuerpo, mi cuerpo desvalido, el cuerpo de un cristo oxidado que vagó por pensiones, andenes, bares, puentes, parques y de todas partes fue expulsado, en ninguna patria fue acogido, soy un cristo oxidado que muere por todos los habitantes de la lausana, por las gentes del mercadillo, por franz dertod y por baltasar y por milena, por los pasajeros extraviados de las estaciones y por las nadadoras olímpicas, por las actrices y por las mujeres que pasaron de largo, por el bastón de joyce, por el sombrero de kafka, por los ciento sesenta y tres centímetros de estatura de faulkner, por las putas y jacques brel resucitado en polinesia, por la suicida de 1980 y por mi madre de quien heredé los ojos vacíos y por mi padre del que heredé estas manos pequeñas y peludas que perforaron y clavaron contra una cruz oxidada, manos inhábiles para siempre, sólo resistía aquella N del letrero, lausaNa, la triste soledad de las vocales que poco a poco mueren en los letreros de neón, en los diccionarios, palabras que se descomponen y pierden su significado, consumido ya el pasado de todos nosotros, el escritor de la 6 maldecía la quema de sus manuscritos y lloraba, no podría comprar el piso a sus padres, tendría que reescribir la novela titulada *la memoria del olvido* que comenzaba así: me llamo franz dertod y estoy muerto, en la que llevaba trabajando casi un año y en la que el negro baltasar bebía en una buhardilla con paredes sucias de frases obscenas soñando que en un ayer equívoco había pertenecido al ejército nazi y violado en parís a una judía de ojos azules llamada milena, nunca me darán el nobel —decía— así que no podré viajar desde estocolmo a sognefjord para arrojar tus cenizas a un fiordo, no te preocupes —lo consolé— no es tan importante lo de las cenizas, lo grave es que se hayan quemado tus manuscritos y no puedas comprarles el piso a tus padres, el porvenir de mis cenizas es intrascendente comparado con el de tus libros, las llamas se van empequeñeciendo, algunos curiosos abandonan el lugar, quizá se alegren de que arda una pensión de mala muerte en la que se refugian extranjeros, borrachos, putas, homosexuales, tal vez piensen ojalá se quemara todo con esa gentuza dentro, así la calle, el barrio, la ciudad, la patria, el mundo quedaría libre de esa escoria, dan ganas de seguir el consejo de sean connery y gritarles depravados, pacôme contemplaba el incendio con ojos de quien asiste a los primeros cinco minutos de la formación del universo, dijo que allí en medio de las llamas sus cuadros se rehacían, eran mucho mejores que cuando salían de sus manos, arroja la botella vacía contra la fachada de la pensión, la ex nadadora se sienta a nuestro lado, me enseña su falsa medalla olímpica, es lo único que tengo de valor y he podido salvarla, eso y el recuerdo de johnny weismuller que me llamaba sweet jane cuando hacíamos el amor en hoteles de cinco estrellas de todos los países del mundo, el encargado dice ahora que pensaba reformar el edificio y comienza a lamentarse, sus ahorros, su pasado en suiza, los impuestos, el seguro, una esposa que lo dejó para irse con un emigrante italiano en lausana, puta mierda —dice— y añade algo en francés que no entiendo, una sola palabra corta, contundente, que suena como un portazo, le di dinero al lelo para que trajese una botella de vino, el fuego ennegrecía la fachada de la pensión, salía un humo denso, alquitranado, funeral, como el color de la piel de merlene ottey derrotada en tantas carreras y de baltasar violando a milena y de ike abofeteando a tina turner detrás del telón de un escenario, los homosexuales de la cinco contemplan el incendio silenciosos como dos hermanos huérfanos en una noche de reyes sin regalos, uno de ellos pasa un brazo por los hombros del otro, me dan lástima, parecen inofensivos, débiles, inocentes como si no entendieran nada de lo que sucede a su alrededor, las llamas cada vez más flojas iluminan sus rostros sorprendidos, recuerdo aquella noche en la que acompañé a una puta hasta su pensión y nos cruzamos con el camión de la basura y la puta y yo nos abrazamos como un matrimonio, recuerdo el olor de esa madrugada el olor de la basura el olor de las estrellas el olor de la puta, se acercó el sonido de las sirenas de dos camiones de bomberos, ahí se fueron mis ahorros, mi vida de perro en la lausana, mi futuro —se queja el encargado— le pasé la botella, yo pensé que los futuros no ardían, que no existían o se pudrían antes de tiempo, como los geranios sin regar, cuando las mangueras empezaron a echar agua la N se apagó, el letrero quedó a oscuras, lausana, vacié la botella y me fui despacio hasta el bar, pedí un whisky, nada mío había ardido, traté de contar cuántas mujeres estuvieron conmigo en la 9, traté de recordar sus nombres pero me sentía cansado, cansado de beber, de ignorar los nombres de las mujeres, de esperarlas en bares, de recoger objetos extraviados en la calle, de vivir en pensiones que se llamaban como ciudades extranjeras, de pasar horas y horas en los bancos de los parques, a veces alguien dejaba una limosna confundiéndome con un mendigo, lausana había ardido y por mí como si ardía suiza entera

pedí otro whisky al camarero, una rata con fuego en el pelaje pasó delante del ventanal como una de las mujeres que seguían de largo cuando yo las aguardaba, mojé el dedo índice en el whisky y escribí sobre el mármol oscuro de la mesa lausana, pensé que así había vivido, escribiendo con alcohol en las barras o en las mesas de los bares mensajes que se evaporaban demasiado pronto, demasiado deprisa, vi al encargado meterse en un coche de la policía, olía a humo el aire, todo arde, todo se consume, todo muere, el tiempo las nadadoras olímpicas los letreros de las pensiones los cristos oxidados las patrias los libros la memoria la soledad, el escritor de la 6 tendría que rehacer lo perdido, escuchar a lou reed en otra pensión *and the coloured girls go doo dodoo* retrasar lo del piso de sus padres, esperar a que aparezca baltasar, el asesino de franz dertod, conduciendo un audi 100, se baje ceremonioso, abra las puertas del coche para que los padres de mi amigo suban y dejen atrás el barrio mísero con farolas fundidas, fulanas baratas, perros famélicos, yonquis desorientados y cielos azules con nubes blancas que son una falsedad como una novela de ese tal selby que a veces cita el escritor, el destino siempre pospone la felicidad, le digo cuando entra en el bar y se sienta a la mesa conmigo, paciencia y barajar —dice— apoya las palmas de sus manos hermosas en la mesa, tienes unas manos bonitas, con esas manos escribirás una obra maestra, cuando sea así y viajes mándame postales desde dublín, desde parma, desde estocolmo, adónde —me pregunta— adónde si ya no hay pensión, al infierno, mándalas al infierno, alguien lo dijo: el mundo se está yendo al infierno por correo urgente, bebemos en silencio, una sirena alborota la calma carbonizada de la noche, para consolarlo le cuento que yo en la mesa de noche del cuarto de la lausana tenía una botella de whisky, hay quien coloca en su mesa de noche lámparas, despertadores, vasos con agua, fotografías en marcos de latón o de madera, jarrones con flores de plástico, libros, estampas de santos medicinas, yo no —le digo— yo tenía una botella de whisky barato, en las noches de invierno, en los insomnios, unos encienden las lámparas para espantar el miedo, contemplan el transcurrir de los segundos aguardando el amanecer, beben un poco de agua para tragar mejor la angustia de vivir, miran las fotografías familiares y se sienten acompañados o las propias para saber cómo o quiénes son, otros se consuelan con las flores del jarrón soñando con paisajes menos tristes, los creyentes rezan al santo de la estampa, le piden no morir en esa larga noche o que si les llega el momento dirija sus almas al paraíso pero ese paraíso será triste si no es la sangre de laure manaudou o la sangre de franziska van almsick o de inge de bruijn o de kristin otto o de amanda beard o de agnes kovacs o de janet evans, qué mierda de lugar es un paraíso si no está habitado por los cuerpos resucitados de las nadadoras, será un sitio fúnebre como la pensión lausana en el que las vocales y las consonantes se mueren de soledad en letreros luminosos, los hipocondríacos echan mano al sumial o al noctamid, el de la 6 dice convocan el sueño, cargan los párpados con el peso de la farmacopea, de algún modo hay que consolarse, de algún modo hay que sobrevivir, en el piso de mis padres tenemos una fotografía de estudio sobre la mesa de noche, mi madre mi padre y yo posando contra un falso cielo azul de nubes, le digo: yo, tumbado en la cama, miraba el techo húmedo que amparó tantas horas de mi vida sin poder dormir, bebía de la botella, a veces caía una gota en mi cara desde la mancha del cielo raso, trataba de recordar a las mujeres que compartieron mi insomnio, agradezco los dones de sus cuerpos o evoco los cuerpos gloriosos de las nadadoras olímpicas en piscinas azules, krisztina egerszegi natalie couglin noriko inada chang gao janine pietsch alexandra cappa kiera aitken laure manaudou, imaginaba que hacía el amor con una de ellas y terminaba por dormirme, según el encargado escandalizaba la pensión con mis ronquidos, el de la 6 comenta que sí, que mientras escribía de madrugada escuchando la música de lou reed, se oían mis ronquidos de oso borracho —eso dice sonriendo— en las mesas de noche —prosigo— de nada sirven lámparas despertadores vasos con agua fotografías floreros estampas medicinas, el escritor está de acuerdo, no sirven de nada, total, todo arde, todo se extingue, todo muere cuando desperté en la 9 estaba sentada en el alféizar la mujer que se suicidó en esta habitación un día de 1980, acariciaba un gato gris ciego de un ojo, le di un trago a la botella de whisky, miré el corte profundo de su antebrazo, enciendo un cigarrillo, ella sigue ahí, no es un sueño, un delirio del alcohol, no es mi madre que viene para que le devuelva los ojos tristes que me dejó en herencia ni una nadadora con una falsa medalla del mercadillo colgada del cuello, en la 8 suena el viento, una ráfaga breve como el quejido de una enferma, a lo mejor en esa habitación que el encargado nunca abre baltasar continúa violando a milena día tras día desde 1944 como en una representación teatral de éxito inagotable, ni siquiera necesita desnudarse, el nazi negro oscurece la bombilla del cuartucho con sus dos metros de estatura, con su espalda de pórfido como la lápida que cubre a franz dertod 1920-1944 tué par les allemands, sólo saca su minga enorme, dura, y viola a milena que gime y sus gemidos se prolongan como el viento que se alborota en un cuarto de una pensión de mala muerte, quizá debiera contarle al escritor de la 6 que a veces se me aparecen mujeres, no las que espero en los bares, en los puentes, en los parques, en las plazas, en las paradas de autobús, en las puertas de los cines a los que entro siempre solo, sino otras mujeres, la suicida de 1980, laure manaudou, norah jones, milena, clawdia chauchat, la virgen de los ojos grandes, mujeres como fantasmas, mujeres incorpóreas, tal vez el de la 6 con todo ello escriba un libro titulado *la memoria del ol-*

vido y venda miles de ejemplares, de esa forma no sólo irá hasta su ciudad en un audi 100 conducido por el nazi negro baltasar que ya no se acuerda de haber violado a milena, de haber violado europa, sino que le darán el premio nobel, leerá el discurso, tal vez hable de los fondos falsos de las fotografías de estudio, de los inmigrantes que venden relojes de imitación y perfumes falsos y navajas antiguas, tal vez hable de la pensión lausana y de las letras fundidas, de lou reed y de los cementerios y de la soledad de las vocales y de las consonantes, al día siguiente cogerá un avión para oslo, de allí se acercará a la costa, hasta naoeroyfjord o fjaerlandfjord, y vaciará mis cenizas, el mismo viento que gime en la 8 como una mujer enferma o como pacôme destrozando sus obras las arrastrará lejos de la orilla y yo le estaré agradecido al escritor porque con ese gesto último ya no quedará memoria alguna de mí salvo la dedicatoria del poema, al habitante de la 9 de la pensión lausana, pero la memoria de los libros es una memoria breve, dura menos que la estela que deja en el agua una nadadora al recorrer la calle de una piscina, la mujer acaricia el gato, contempla la habitación, contempla la fotografía del viejo calendario la pileta el armario de espejo el mapa de parís el geranio el cristo la cama la mesa de noche la mancha de humedad desde la que a veces cae una gota como la sangre de un cristo moribundo, lo mira todo como si la razón por la que se suicidó en 1980 fuese un objeto minúsculo y tratara de encontrarlo para de ese modo rectificar su biografía, retroceder al día en el que se cortó las venas y antes de utilizar la hojilla convencerse de que morir, igual que nacer, es un error y en vez de suicidarse se depilaría las piernas cantando *bye bye love* o se lavaría el pelo, nadie se depila o se lava el pelo o se maquilla para después suicidarse, me mira en silencio como las mujeres de jerusalén miraron a jesús antes de morir y derramar la colada de hierro de su sangre, quizá yo me parezca al cristo oxidado que ni radinovic puede restaurar o me parezca al negro nazi que violó a milena en 1944, quizá yo sea un personaje de cualquier libro del escritor de la 6, lleno dos vasos de whisky, le ofrezco uno a la mujer, me gustaría saber su nombre, apuntar en mi agenda otro nombre falso, como los nombres de las pensiones, de las ciudades, de las patrias, de las mujeres, pero no me atrevo a preguntárselo porque si ella me responde

me llamo franziska van almsick
o me llamo laure manaudou
o me llamo sylvia beach
o me llamo halle berry
o me llamo jane birkin
o me llamo norah jones
o me llamo nuestra señora de los ojos grandes

nada sucedería

yo seguiría siendo el habitante de la 9 de la pensión lausana que heredó de su padre las manos pequeñas y peludas y los ojos tristes de su madre y se quita y se pone la dentadura postiza y contempla a los obreros en los tejados y escribe con alcohol inmortal nombres efímeros de mujeres en las barras de los bares y lanza inútilmente un sombrero agujereado al perchero y bebe en los parques y pasea de noche con una puta y observa a los pasajeros que descienden de los trenes y teme la soledad de las vocales y de las consonantes y ama la memoria del olvido pero si la mujer contesta: mi nombre es milena

entonces

yo

me llamo

franz dertod

y

estoy

muerto